GUIDE DES PROCÉDÉS D'ÉCRITURE ET DES GENRES LITTÉRAIRES

COLLECTION LANGUE ET LITTÉRATURE AU COLLÉGIAL

CAROLE PILOTE

D1374071

Éditions Études Vivantes
Groupe Éducalivres inc.
955, rue Bergar, Laval (Québec) H7L 4Z6
Téléphone : (514) 334-8466 Télécopieur : (514) 334-8387
Internet : http://www.educalivres.com

GUIDE DES PROCÉDÉS D'ÉCRITURE ET DES GENRES LITTÉRAIRES

COLLECTION LANGUE ET LITTÉRATURE AU COLLÉGIAL

Carole Pilote

www.etudes-vivantes.com

Éditions Études Vivantes
Groupe Éducalivres inc.
955, rue Bergar, Laval (Québec) H7L 4Z6
Téléphone : (514) 334-8466 Télécopieur : (514) 334-8387
Internet : http://www.educalivres.com

Ce livre est imprimé sur un papier Opaque nouvelle vie, au fini satin et de couleur blanc bleuté. Fabriqué par Rolland inc., Groupe Cascades Canada, ce papier contient 30 % de fibres recyclées de postconsommation et n'est pas blanchi au chlore atomique.

Code produit : 2902
ISBN 2-7607-0652-4

Dépôt légal : 2ᵉ trimestre 2000
Bibliothèque nationale du Québec, 2000
Bibliothèque nationale du Canada, 2000

Imprimé au Canada

3 4 5 6 7 II 5 4 3 2

AVANT-PROPOS

Une collection sous le signe de la simplicité

Conçue dans l'objectif de réunir pour l'élève du collégial tous les outils littéraires et méthodologiques nécessaires à sa formation en langue et littérature, cette collection est proposée dans une formule toute simple. Composée de 16 plaquettes indépendantes les unes des autres, elle traite d'abord de l'histoire littéraire française et québécoise des origines à nos jours puis de la méthodologie de l'analyse et de la rédaction dans le cadre de chacun des cours de la formation générale. Enfin les genres et procédés littéraires les plus fréquemment rencontrés sont abordés. Vous pourrez ainsi bâtir votre matériel pédagogique sur mesure !

L'histoire littéraire française et québécoise des origines à nos jours

Les plaquettes 1 à 12, exclusivement consacrées à l'histoire de la littérature, permettront à l'élève de rassembler les connaissances sociohistoriques et littéraires nécessaires pour cerner une époque, un courant littéraire, et les œuvres qui les reflètent. Cette bonne connaissance de l'époque facilitera l'approche et la compréhension des diverses œuvres à l'étude. Enfin, les extraits d'œuvre présentés dans les fascicules ont été minutieusement choisis précisément pour illustrer les divers courants ayant jalonné l'histoire.

Une méthodologie de l'analyse et de la rédaction

Les plaquettes 13, 14 et 15 représentent le volet méthodologique de la collection. Elles présentent les savoir-faire qui permettront à l'élève de mener efficacement l'analyse d'un texte littéraire, à en organiser les résultats sous la forme d'un plan détaillé, puis à y donner suite en rédigeant un texte écrit qui satisfasse au projet démonstratif, explicatif ou critique propre aux cours 101, 102 et 103.

Guides

Enfin, la plaquette 16 regroupe divers guides qui présentent les genres littéraires et les procédés d'écriture fréquemment utilisés dans les textes. Cette plaquette réunit l'ensemble des connaissances susceptibles de favoriser l'analyse formelle d'un texte.

Liste des plaquettes

TABLE DES MATIÈRES

Guide des procédés d'écriture et des genres littéraires

PREMIÈRE PARTIE

LES PROCÉDÉS D'ÉCRITURE

L'analyse formelle d'un texte littéraire, surtout lorsqu'il s'agit d'un extrait, exige de reconnaître et d'interpréter les procédés d'écriture utilisés par l'auteur en vue de créer des effets précis. L'observation, l'analyse et l'interprétation des procédés présents et dominants dans un texte est essentiel à sa compréhension. Nous vous présentons donc une liste de ces procédés qui vous permettront de découvrir l'aspect formel du texte, en vous rappelant qu'il s'agit là d'une gamme de possibilités et non d'une obligation à l'exhaustivité.

LES PROCÉDÉS DE MISE EN PAGES

La mise en pages concerne, outre le choix du papier, la disposition graphique du texte et le choix d'une typographie particulière.

PROCÉDÉS	DÉFINITION/EXPLICATION	EFFETS/SENS
Le papier	Grain, couleur, dimension, effets spéciaux.	Ces procédés s'adressent surtout à l'œil du lecteur et dénotent que l'écrivain cherche à agir sur celui-ci. Leur présence doit donc être interprétée.
La disposition graphique	Caractères d'imprimerie, grosseur de ces caractères, disposition des mots ou des lignes sur la page.	
La typographie	Majuscules, italique, gras, espaces blancs, etc.	

LES PROCÉDÉS D'ÉNONCIATION

On appelle « énonciation » l'ensemble des conditions dans lesquelles un énoncé ou un message est produit et celle-ci varie en fonction de la situation de communication. Savoir reconnaître qui parle, pense ou émet les faits, les jugements ou les opinions et à qui s'adresse le message est donc une condition minimale à la compréhension d'une communication ordinaire. Dans le cas d'un texte littéraire, toutefois, le système d'énonciation est souvent beaucoup plus complexe et plus subtil, et il doit être envisagé en tant qu'outil stylistique utilisé par l'auteur et destiné à produire des effets que le destinataire, en l'occurrence le lecteur, devra interpréter s'il veut saisir toute la portée du message.

Comme l'acte de communication suppose un locuteur et un destinataire, que leur présence peut être plus ou moins apparente et le jeu d'énonciation plus ou moins complexe selon les textes, la reconnaissance du système d'énonciation se fera par l'identification des personnes impliquées dans le jeu de l'énonciation, par le repérage des indices de la subjectivité du locuteur ainsi que par l'étude de l'usage que l'auteur fait des paroles rapportées dans le texte.

LES PROCÉDÉS D'ÉNONCIATION (suite)

PROCÉDÉS	DÉFINITION/EXPLICATION
Le locuteur	Le locuteur est celui qui parle, qui se charge du déroulement de la communication et qui prend donc à son compte les faits, les opinions ou les jugements prononcés. Dans un texte littéraire, le locuteur est soit l'auteur, soit le narrateur, soit un personnage. C'est pourquoi il faut distinguer : • **La parole de l'auteur** Il ne faut pas confondre la parole de l'auteur avec celle du narrateur ou d'un personnage. Il n'y a que dans les récits véridiques, tels que l'autobiographie, les mémoires, les confessions, le journal intime, etc. que l'identité peut être établie entre l'auteur et le narrateur du récit. Mais, encore faut-il être prudent, car il est aisé de confondre le récit fictif et le récit véridique. Même dans ce dernier cas, nombreux sont les auteurs qui ont souligné l'effet de distanciation provoqué par l'écriture. Cependant, il est possible de trouver dans certains récits fictifs des interventions de l'auteur, considérées alors comme des « intrusions ». Celles-ci nécessitent l'arrêt de la narration et ces interruptions peuvent être interprétées comme une volonté de mettre en évidence le rôle mystificateur du récit ou encore le travail de l'écrivain. • **La parole du narrateur** Le narrateur est celui qui prend en charge la narration d'un récit. Il ne peut s'agir de l'auteur que dans le cas des récits véridiques. Lorsque le narrateur est présent comme personnage dans l'histoire qu'il raconte, il peut soit raconter sa propre histoire (il s'agit alors d'un narrateur-sujet), soit celle d'un des personnages de cette histoire (on parle dans ce cas d'un narrateur-témoin). Même dans le cas où le narrateur est absent comme personnage de l'histoire qu'il raconte (le récit est alors conduit à la troisième personne, sans qu'il soit possible d'identifier qui raconte), il laisse des traces subtiles de sa présence (voir : indices de subjectivité du locuteur). • **La parole des personnages** La parole peut aussi être laissée aux personnages, ainsi qu'on peut le voir à la présence, dans un texte, de ce que l'on appelle les discours rapportés. Le narrateur passe le relais de la narration aux personnages à travers lesquels nous est alors rapportée l'histoire.
Le destinataire	Le locuteur, qu'il soit l'auteur, le narrateur ou un personnage, destine son discours (volontairement ou non) à un récepteur, que l'on nomme le destinataire. Il est bon de s'interroger sur celui-ci : s'agit-il d'un lecteur potentiel, d'un lecteur réel et identifié, des deux à la fois, ou d'un personnage nettement ciblé ? Bref, il est essentiel de savoir identifier le système d'énonciation d'un texte, non seulement parce que cela nous garde éloigné des contresens qui peuvent s'avérer désastreux, mais aussi parce que cela constitue l'assurance d'une compréhension plus approfondie des mécanismes producteurs de sens mis en jeu dans le texte.

PROCÉDÉS	DÉFINITION/EXPLICATION
Les indices du système d'énonciation	Ils nous renseignent sur les personnes impliquées par le processus de communication. Aussi, importe-t-il d'établir avec certitude qui se cache derrière ces pronoms et de préciser l'impact de ces informations sur la compréhension du texte.
• les pronoms personnels	**Singulier** 1re pers. : je, me, moi = personne qui parle ; 2e pers. : tu, te, toi = personne à qui l'on parle ; 3e pers. : il, elle, se, soi = personne dont on parle. **Pluriel** 1re pers. : nous = personnes qui parlent ; 2e pers. : vous = personnes à qui l'on parle ; 3e pers. : ils, elles, eux, leur = personnes dont on parle. À la 3e personne du singulier, on peut ajouter le pronom indéfini « on » ; il faut être attentif au sens et à l'emploi de celui-ci, car il peut englober ou non la personne qui parle.
• les verbes d'énonciation	L'existence de paroles ou de pensées, que ces dernières soient de l'auteur ou d'autrui, est souvent marquée par la présence de verbes d'énonciation qui en souligne l'actualisation, mais qui nous permettent aussi de pouvoir saisir des nuances qui nous renseignent soit sur la manière, soit sur l'intention de l'énonciation. ***Exemples*** : penser, croire, supposer, considérer, contester, prétendre, soutenir, dire, estimer, juger, affirmer, proclamer, énoncer, nier, rétorquer, etc.
• d'autres indices	Lorsque l'identification des pronoms personnels ne permet pas de déterminer la sources des idées exprimées, il faut rechercher les indices suivants : • L'indication précise de ceux qui émettent l'idée. ***Exemples*** : son patron, les moralistes, un ami, etc. + un verbe d'énonciation. • La reprise, sous forme d'un pronom indéfini ou d'un pronom relatif, de certaines personnes mentionnées dans le texte. ***Exemples*** : lesquels, chacun, les uns, les autres, etc., + un verbe d'énonciation. • L'indication d'une source ou d'une référence précise. ***Exemples*** : le titre d'un livre, le nom d'un auteur, d'un journal, etc.
Les indices de la subjectivité du locuteur	Le repérage des indices de subjectivité est notamment utile quand le locuteur cherche à camoufler sa présence, quand il s'agit de mesurer le degré de subjectivité de son discours ou encore pour déjouer sa prétention à l'objectivité.
• les termes de modalité	Les termes de modalité indiquent l'appréciation qu'un locuteur porte sur ce qu'il dit, son degré de conviction. ***Exemples*** : peut-être, certainement, à mon avis, probablement, il est possible que, etc.

LES PROCÉDÉS D'ÉNONCIATION (suite)

PROCÉDÉS	DÉFINITION/EXPLICATION
• les marques d'affectivité	Les marques d'affectivité sont représentées par l'emploi des interjections, de certaines phrases exclamatives, de certains suffixes ou de certains temps verbaux. ***Exemples*** : Zut ! Chic ! Le ciel est d'un bleu. Une enfant maigre<u>lette</u>. Elle était mignonne !
• les marques de jugements de valeur	Les marques de jugements de valeur sont signalées par l'usage de mots ou de suffixes péjoratifs ou mélioratifs. ***Exemples*** : merveilleux, sublime, populace, rimailleur, bellâtre, etc.
• les codes socio-culturels	Les codes socioculturels sont représentés par les archaïsmes (mots anciens qui ne sont plus en usage), les néologismes (mots nouveaux), les régionalismes (locutions de certaines régions), le vocabulaire technique, les registres de langue, etc. ***Exemples*** : un couvre-chef (archaïsme = un chapeau) ; le franglais, un internaute (néologismes) ; débarbouillette, dépanneur, magasinage (régionalismes/québécismes) ; une couverture médiatique (vocabulaire technique en journalisme) ; une tronche (registre populaire = une tête) ; la ronde des saisons, le char de l'État (registre littéraire), etc.
Les paroles rapportées	
• l'usage du style direct	Le discours est rapporté directement, tel qu'il a été prononcé ou conçu, et il est souvent introduit par un verbe tel que « dire » ou « penser ». Il est encadré par des guillemets ou marqué par la présence de l'incise. ***Exemples*** : Il m'a dit : « Tu devrais venir demain. » Cette rue sombre, pensa-t-elle, me donne le frisson.
• l'usage du style indirect	Les paroles sont rapportées sous la forme d'une subordonnée complétive introduite par un verbe de parole ou de pensée. ***Exemples*** : Il m'a dit que je devrais venir le lendemain. Elle pensa que cette rue sombre lui donnait le frisson. Du style direct au style indirect, on observe les transformations suivantes : la subordination des propos par rapport à celui qui les rapporte ou les pense ; la modification des temps, des personnes, des pronoms, de certains adverbes de lieu et de temps.
• l'usage du style indirect libre	Le style indirect libre permet d'insérer le discours dans l'énoncé narratif. On observe donc les mêmes transformations de temps, de personnes et d'adverbes que celles du style indirect, mais la subordination complétive disparaît. Par ailleurs, on retrouve dans le style indirect libre des marques du style direct : intonations et tournures du langage parlé, tournures exclamatives et interrogatives. ***Exemples*** : Ses paroles avaient été nettes : je devais venir le lendemain. Une pensée lui était venue : cette rue sombre lui donnait le frisson.

LES PROCÉDÉS LEXICAUX

Un texte est constitué de mots dont le choix et l'agencement sont producteurs de sens. L'observation systématique de ce choix de mots, de la situation de ceux-ci dans leur contexte, de leurs rapprochements, permet de mieux comprendre les effets et les sens produits. L'analyse des procédés lexicaux est donc une analyse du vocabulaire utilisé. Elle porte sur l'étude des cinq points suivants : le champ lexical, la dénotation et la connotation, le vocabulaire appréciatif et dépréciatif, le vocabulaire spécialisé, et les registres de langue. Il s'agit de repérer ces points, de les identifier, de les analyser et de les interpréter (mise en relief de leur utilité) en relation avec le propos du texte.

PROCÉDÉS	DÉFINITION/EXPLICATION	EFFETS/SENS
Le champ lexical	On appelle « champ lexical » l'ensemble des mots qui renvoient à une même réalité (idées, notions, etc.) et qui, à cause du contexte et de certains aspects de leur signification, évoquent aussi ce thème. Parmi les mots qui composent le champ lexical du mot « livre », par exemple, on rencontre les mots : lecture, lire, lu, livresque, page, etc. Un « champ lexical » est donc constitué de tous les mots du vocabulaire qui renvoient à une même notion, à un même champ de signification. Le regroupement de plusieurs champs lexicaux renvoyant à une même notion forme le « réseau lexical » de cette notion. **Exemple** : Le champ lexical des « sensations », celui des « sentiments » et celui de l'« affectivité » constituent le réseau lexical du « Moi ». **Note** : À ne pas confondre avec le « champ sémantique », qui lui désigne l'ensemble des sens possibles d'un mot (sa polysémie) tel qu'on le trouve dans un dictionnaire. **Exemple** : LIVRE : 1. Assemblage d'un assez grand nombre de feuilles portant des signes destinés à être lus. 2. Unité de masse valant 16 onces, ou 0,453 kg (abrév. lb). 3. Unité monétaire anglaise. Livre sterling (symb. £) (*Le Petit Robert*).	L'étude des champs ou des réseaux lexicaux met en lumière les thèmes d'un texte et donc ses valeurs dominantes, et donne des indications sur les goûts du locuteur en signalant ce à quoi l'auteur attache le plus d'importance. Si le réseau ou le champ lexical est particulièrement fort, il peut parcourir tout le texte et en former le thème principal. Mais le passage d'un réseau ou d'un champ à un autre est aussi très fréquent : il est le signe d'une progression ou d'une précision qu'il faut alors expliquer. Si plusieurs réseaux ou champs sont concomitants, leur comparaison révèle les associations mentales de l'auteur. Le champ ou le réseau lexical représente donc l'expression d'une idée dominante, la mise en relief d'un thème essentiel.

LES PROCÉDÉS LEXICAUX (suite)

PROCÉDÉS	DÉFINITION/EXPLICATION	EFFETS/SENS
L'importance des répétitions de mots	La répétition est à interpréter, non seulement pour comprendre l'importance du mot, mais aussi parce que l'analyse de son contexte peut permettre de découvrir, dans le texte, des évolutions intéressantes.	
La dénotation/ connotation		
• la dénotation	La dénotation désigne l'information explicitement formulée par un mot. C'est son sens premier, son sens courant (*Voir sens propre*). ***Exemple*** : avoir une maladie de cœur (cœur = organe de la vie).	Le sens dénoté d'un mot renvoie à son référent dans la réalité et témoigne d'un souci de précision, d'une volonté d'objectivité ou de rationalité. Les différents sens dénotés d'un mot permettent de voir comment le sens d'origine s'est développé à travers le temps.
• la connotation	La connotation désigne le sens produit par un mot en fonction de son contexte. Par exemple, l'adjectif « rouge », qui dénote une couleur, peut aussi connoter l'idée de sang et de meurtre pour les uns, ou encore une idéologie pour les autres. Il s'agit du ou des sens qui viennent s'ajouter à la signification du mot selon le contexte, l'individu qui l'emploie, ce qu'il évoque par association. Ainsi la nuit peut connoter l'angoisse, le repos, l'ignorance, les plaisirs, etc. Ce sont donc les sens implicites qui s'ajoutent au sens premier d'un mot, selon le contexte ou la personne qui utilise ce mot.	L'usage de la connotation témoigne d'un souci de subjectivité et renvoie à l'univers particulier que l'auteur cherche à suggérer. Bien qu'un texte littéraire soit, par définition, fortement connoté, son usage est aussi fréquent dans tous les aspects du quotidien.
• le sens propre	Le sens propre, c'est le sens courant d'un mot, son sens premier (*Voir dénotation*).	

PROCÉDÉS	DÉFINITION/EXPLICATION	EFFETS/SENS
• le sens figuré	Le sens figuré, qu'il faut distinguer de la connotation, désigne le ou les sens désigné(s) d'un mot, en plus de son sens propre. Le plus souvent, ce transfert fait passer le mot d'un domaine concret à un domaine abstrait. **Exemples** : avoir le cœur fragile (sens propre) ; avoir bon cœur (sens figuré) ; cœur de rocker (sens connoté). Valeur stylistique : une langue s'enrichit lorsqu'un mot, en plus de son sens propre, acquiert un sens figuré. Les humoristes attirent souvent notre attention sur le sens figuré et son ambiguïté. **Exemples** : « Je connaissais un sportif qui prétendait avoir plus de ressort que sa montre. » (Raymond Devos joue ici sur l'expression figurée devenue cliché : avoir du ressort.) « Exécutez cette ordonnance. [...] Le pharmacien [...] l'introduisit dans une petite guillotine de bureau. » (Boris Vian, dans *L'écume des jours*, fait ici un jeu de mots.) **Note** : Le calembour est un cas particulièrement séduisant d'exploitation polysémique. Jouant sur les multiples sens possibles des mots, il crée, tout en amusant, l'ambiguïté nécessaire à dérouter, à saisir, à séduire. Il est fréquemment utilisé en publicité et par les humoristes. **Exemples** : « Lisez entre les lignes » (slogan à l'entrée d'une bibliothèque installée dans les couloirs d'une station de métro). « Faire mâle, c'est bien » (campagne publicitaire pour une marque de sous-vêtements pour hommes). « J'sus dans un état proche de l'Ohio. » (Serge Gainsbourg)	Il s'agit donc de la mise en évidence du mot dans le but de créer des effets d'ambiguïté, d'ironie, de surprise ou de séduction.

LES PROCÉDÉS LEXICAUX (suite)

PROCÉDÉS	DÉFINITION/EXPLICATION	EFFETS/SENS
Le vocabulaire appréciatif/ dépréciatif	On dit que le vocabulaire d'un texte est appréciatif (ou mélioratif ou laudatif) quand il présente ce qu'il désigne d'une manière favorable, qu'il le valorise. À l'inverse, on dit que le vocabulaire d'un texte est dépréciatif (ou péjoratif) quand il présente ce qu'il désigne de façon défavorable, c'est-à-dire qu'il contient une nuance de sens qui déprécie la personne, la chose ou l'action désignées. Mélioratifs et péjoratifs se distinguent donc par la valeur appréciative qu'ils suggèrent.	L'analyse de la valeur affective du vocabulaire donne des informations sur les sentiments ou les opinions du locuteur ainsi que sur les effets à produire sur le destinataire.

L'analyse de la valeur affective du vocabulaire donne des informations sur les sentiments ou les opinions du locuteur ainsi que sur les effets à produire sur le destinataire.

Il s'agit donc de la mise en relief de qualités (expression d'admiration) ou, au contraire, de défauts (expression de dégoût, de rejet).

Le choix des mots est essentiel, car il traduit (et parfois trahit) le jugement de celui qui les émet.

Mais attention, il faut être prudent dans l'interprétation des différentes nuances puisque celles-ci dépendent de la personne, de l'époque ou encore du contexte de réalisation.

Exemples : péjoratifs : masure, baraque, bicoque ; mélioratifs : demeure, résidence, palais.

Mélioratifs et péjoratifs sont ainsi des moyens d'expression indispensables qui servent à émettre des jugements de valeurs.

Exemples : Lorsqu'on dit d'un chanteur qu'il braille, on n'a pas besoin d'ajouter de commentaires sur son talent. Le mot est en lui-même suffisamment péjoratif. Inversement, il suffit souvent, dans le domaine publicitaire, de qualifier un produit nouveau de « naturel » ou de « jeune » pour qu'il ait du succès. Ces mots ont aujourd'hui une valeur nettement méliorative.

Les mots péjoratifs sont le plus souvent obtenus à partir de mots qui ont une valeur neutre auxquels on ajoute un suffixe péjoratif. Les principaux suffixes péjoratifs sont :
• ard : un traînard, un vantard ;
• asse : fadasse, tiédasse ;
• ichon : pâlichon, maigrichon ;
• âtre : verdâtre, bellâtre.

Le mot peut aussi, à lui seul, donner une nuance péjorative.

Exemple : Un cancre est un très mauvais élève.

Dans certains cas, un terme peut être doublement péjoratif.

Exemples : hommasse pour caractériser une femme ; femmelette pour caractériser un homme.

De nombreux péjoratifs sont aussi empruntés au vocabulaire familier ou argotique.

PROCÉDÉS	DÉFINITION/EXPLICATION	EFFETS/SENS

Le vocabulaire appréciatif/ dépréciatif (suite)	Le changement de registre de langue suffit alors à discréditer l'objet ou la personne désignés.
	Exemples : une guimbarde, un cancer (une voiture) ; un nono (un homme naïf).
	
	Le recours au registre soutenu de langue permet de valoriser ce que l'on nomme.
	Exemples : une boisson (un nectar) ; un groupe d'immeubles (une résidence).
	
	Cependant, le degré dans la valeur péjorative ou méliorative peut dépendre :
	• de la personne qui exprime son jugement ou son sentiment.
	  Exemple : un professeur peut qualifier une copie de « médiocre » et signifier par là que le devoir est « moyen » (c'est le sens étymologique !). Mais, dans le cas d'un autre professeur, le qualificatif peut prendre l'acception nettement négative de « mauvais » ;
	• de l'époque à laquelle est exprimé ce jugement ou ce sentiment.
	  Exemple : jusqu'au 19e siècle, le mot « misérable » n'avait pas la valeur péjorative qu'il a aujourd'hui ; il désignait celui qui est dans la misère, le malheureux (comme dans le roman *Les misérables* de Victor Hugo). Il convient donc d'être prudent dans l'interprétation des divers degrés de dépréciation et de valorisation, tout comme il convient de se rappeler qu'un mot neutre en lui-même peut, selon son contexte, prendre une nuance péjorative ou méliorative. Par exemple, les mots « ambition » et « artiste » ont, suivant les cas d'emploi, une valeur plus ou moins positive. Les phrases « C'est un jeune homme plein d'ambition » et « C'est un artiste ! » ne disent pas si la personne qui les prononce est favorable ou non à l'ambition, si elle méprise ou estime les artistes.
	
	Seul le contexte permet de le deviner. Ce contexte peut être :
	• la connaissance que nous avons de la personne qui s'exprime ;
	• des propos similaires qu'elle a déjà tenus ;
	• un commentaire qui éclaire son point de vue, etc.	

LES PROCÉDÉS LEXICAUX (suite)

PROCÉDÉS	DÉFINITION/EXPLICATION	EFFETS/SENS
Le vocabulaire spécialisé • le vocabulaire pédagogique	Le vocabulaire pédagogique rassemble tous les mots relatifs à la pédagogie ou à l'éducation, c'est-à-dire à l'ensemble des personnes, des domaines, des théories et des méthodes, des habiletés, des activités ou des apprentissages relatifs à l'éducation. ***Exemples*** : « De l'institution des enfants : [...] je voudrais aussi qu'on fût soigneux de lui choisir un conducteur qui eût plutôt la tête bien faite que bien pleine, et qu'on y requît tous les deux, mais plus les mœurs et l'entendement que la science, et qu'il se conduisît en sa charge d'une nouvelle manière. » (Montaigne, *Essais*, 1,26) « Je ne dis pas à Émile : "Apprends l'agriculture" ; il la sait. Je lui dis donc : "Cultive l'héritage de tes pères ; mais si tu perds cet héritage, ou si tu n'en as point, que faire ? Apprends un métier." » (J.-J. Rousseau, *Émile*, livre III) Les effets sont les mêmes que ceux d'un champ lexical.	
• le vocabulaire scientifique	Le vocabulaire scientifique comprend l'ensemble des mots relatifs à la science. Comme le champ de la science ne cesse de s'étendre et les disciplines de se diversifier, le vocabulaire scientifique s'accroît soit par néologie (phénomène de création de mots ou de sens nouveaux), soit par emprunt au lexique d'usage courant. ***Exemple*** : « Nous avons [...] à part les cas ordinaires d'entérite, bronchite, affections billeuses, etc., de temps à autres quelques fièvres intermittentes à la moisson, mais en somme, peu de choses graves, rien de spécial à noter, si ce n'est beaucoup d'humeurs froides, et qui tiennent sans doute aux déplorables conditions hygiéniques de nos logements paysans. » (G. Flaubert, *Madame Bovary*, II, 2)	

PROCÉDÉS	DÉFINITION/EXPLICATION	EFFETS/SENS
• le vocabulaire religieux	Le vocabulaire religieux regroupe l'ensemble des mots relatifs aux croyances en la divinité et des cultes qui sont rendus à celle-ci. La foi en l'au-delà, le sens du sacré, le respect des rites et la soumission à une morale sont des constantes du sentiment religieux. *Exemple* : « Elvire : Oui, Dom Juan, je sais tous les <u>dérèglements</u> de votre vie, et ce même <u>Ciel</u>, qui m'a touché le cœur et fait jeter les yeux sur les <u>égarements de ma conduite</u> m'a inspiré de vous venir trouver, et de vous dire, de sa part, que vos <u>offenses</u> ont épuisé sa <u>miséricorde</u>, que sa <u>colère redoutable</u> est prête de tomber sur vous, qu'il est en vous de l'éviter par un prompt <u>repentir</u> [...] » (Molière, *Dom Juan*, IV, 6)	
• le vocabulaire moral	Le vocabulaire moral rassemble tous les mots qui s'attachent au domaine moral. La morale est ce qui s'impose à la conscience individuelle, mais aussi ce qui régit la conduite d'une société donnée et, plus généralement, l'ensemble des valeurs plus ou moins universellement reconnues : le bien, le mal, le devoir, etc. *Exemples* : « Que deviennent et que m'importent l'<u>humanité</u>, la <u>bienfaisance</u>, la <u>modestie</u>, la <u>tempérance</u>, la <u>douceur</u>, la <u>sagesse</u>, la <u>piété</u>, tandis qu'une demi-livre de plomb tirée de six cents pas me fracasse le corps, et que je meurs à vingt ans dans des tourments inexprimables ? » (Voltaire, *Dictionnaire philosophique*, Article « Guerre ») « Les enfants sont <u>hautains</u>, <u>dédaigneux</u>, <u>colériques</u>, <u>envieux</u>, <u>curieux</u>, <u>intéressés</u>, <u>paresseux</u>, <u>volages</u>, <u>timides</u>, <u>intempérants</u>, <u>menteurs</u>, <u>dissimulés</u> ; ils rient et pleurent facilement, ils ont des joies <u>immodérées</u> et des afflictions <u>amères</u> sur de très petits sujets ; ils ne veulent point souffrir de <u>mal</u>, et aiment à en faire : ils sont déjà des hommes. » (La Bruyère, *Caractères*, XI, 50)	

GUIDE DES PROCÉDÉS D'ÉCRITURE ET DES GENRES LITTÉRAIRES   15

LES PROCÉDÉS LEXICAUX (suite)

PROCÉDÉS	DÉFINITION/EXPLICATION	EFFETS/SENS
• le vocabulaire psychologique	Le vocabulaire psychologique a trait aux mots qui renvoient à la psychologie, c'est-à-dire à l'étude de l'activité consciente et inconsciente de l'esprit humain. Elle étudie chez l'individu, ou le groupe, le domaine affectif (sentiments), mental (imagination, par exemple), le comportement, la relation avec autrui, et s'intéresse à tout ce qu'on appelle la « personnalité ». ***Exemples*** : « 14 août : Je suis _perdu_ ! Quelqu'un _possède mon âme_ et la _gouverne_ ! Quelqu'un _ordonne_ tous mes _actes_, tous mes mouvements, toutes mes _pensées_. _Je ne suis plus rien en moi_, rien qu'un _spectateur esclave_ et _terrifié_ de toutes les choses que j'accomplis. » (Guy de Maupassant, _Le horla_) « J'ai _conçu_ pour mon _crime_ une juste _terreur_ ; J'ai pris la vie en _haine_, et ma _flamme_ en _horreur_. Je _voulais_ en mourant prendre soin de ma _gloire_. Et _dérober_ au jour une _flamme si noire_. » (Racine, _Phèdre_, I, 3)	
• le vocabulaire sociologique	Le vocabulaire sociologique renvoie à la sociologie, c'est-à-dire à l'étude des formes variées de la vie en société et des problèmes qui s'y rencontrent. Le sociologue s'intéresse aux modes d'existence d'un groupe, d'une collectivité, d'une société tout entière, et tire des analyses de ses observations. ***Exemple*** : « C'est par le _travail_ que la _femme_ a en grande partie franchi la distance qui la séparait du _mâle_ ; c'est le _travail_ qui peut seul lui garantir une _liberté_ concrète. Dès qu'elle cesse d'être un _parasite_, le _système_ fondé sur sa _dépendance_ s'écroule ; entre elle et l'univers, il n'est plus besoin d'un _médiateur masculin_. » (Simone de Beauvoir, _Le deuxième sexe_)	

PROCÉDÉS	DÉFINITION/EXPLICATION	EFFETS/SENS
• le vocabulaire politique	Le vocabulaire politique rassemble les mots du domaine de la politique qui désignait, dans l'Antiquité, la gestion des affaires de la cité. Aujourd'hui, ce mot s'applique aux différentes formes de gouvernements, aux institutions qui régissent la vie d'un État, à tout ce qui est relatif à l'exercice du pouvoir.	
	Exemple : « Lorsque dans la même personne ou dans le même <u>corps de magistrature</u>, la puissance <u>législative</u> est réunie à la puissance <u>exécutrice</u>, il n'y a point de <u>liberté</u> ; parce qu'on peut craindre que le même <u>monarque</u> ou le même <u>sénat</u> ne fasse des <u>lois</u> <u>tyranniques</u> pour les <u>exécuter</u> <u>tyranniquement</u>. » (Montesquieu, *L'esprit des lois*, livre XI, ch. 6)	
	Note : Chaque discipline possède un champ d'études restreint et, de ce fait, son vocabulaire spécialisé. Nous n'avons qu'à penser à la philosophie, à l'informatique, à l'architecture, qui toutes trois présentent des ensembles de vocabulaire particuliers à leur objet d'études.	
Les registres ou niveaux de langue	Il existe quatre registres de langue utilisés à des fins expressives. Ces quatre niveaux d'expression se rencontrent dans des contextes culturels différents. Cependant, le registre de langue peut varier chez le même individu, selon les situations dans lesquelles il se trouve. L'utilisation de tel ou tel registre dépend donc : du contexte socio-culturel, de l'âge des interlocuteurs, des liens qui les unissent et du but que l'on fixe à la communication. Voici ces quatre registres :	
	• **Soutenu** (littéraire, oratoire ou académique) *Exemple* : Approchez Monsieur, je vous prie !	
	• **Courant** *Exemple* : Viens Gaston, s'il te plaît !	
	• **Familier ou populaire** *Exemple* : Allez ! titine, grouille-toi !	
	• **Vulgaire** *Exemple* : Rapplique, trou du cul !	

LES PROCÉDÉS LEXICAUX (suite)

PROCÉDÉS	DÉFINITION/EXPLICATION	EFFETS/SENS
La reconnaissance des registres de langue		L'utilisation des différents niveaux de langue peut être déterminée par le style même de l'écrivain, mais elle peut être également exigée par le genre littéraire. Par exemple, l'oraison funèbre ou le discours officiel demandent un autre registre que le récit de souvenirs d'enfance ou la confidence intime.
• marques phonétiques	La façon dont est prononcé (et est transcrit) l'énoncé. ***Exemples*** : V'là l'autre. C'te chance ! (familier).	
• marques lexicales	L'emploi du vocabulaire. ***Exemples*** : bagnole (familier) ; automobile (soutenu).	
• marques grammaticales	Le temps des verbes (l'imparfait du subjonctif est réservé au registre soutenu). ***Exemple*** : « [...] plût au Ciel que j'en fusse quitte à ce prix ! » (Molière)	Un écrivain utilisera différents registres de langue selon le ton qu'il veut donner aux personnages d'un roman, d'une pièce de théâtre ou d'un dialogue de film.
• marques syntaxiques	La construction des phrases et l'ordre des mots : la subordination dans le registre soutenu ; la phrase segmentée dans le registre familier. ***Exemples*** : (soutenu) Je me souviens de cette histoire dont tu m'as déjà parlé. (familier) Moi, cette histoire-là, je m'en souviens. Tu m'en as déjà parlé.	Le langage permet, à lui seul, de situer socialement le personnage et même de le caractériser psychologiquement. Émile Zola, dans *L'assommoir* (roman sur le peuple), a écrit dans la langue du peuple. En outre, on peut tirer de divers niveaux de langue des effets de cocasserie, de surprise ou de poésie.
• marques stylistiques	L'utilisation des effets de style : les images dans la langue soutenue et dans l'argot familier ou vulgaire. ***Exemples*** : [Deux bandes rivales] « Pendant un quart d'heure, le flot coutumier d'injures flua et reflua entre les deux camps. » (Louis Pergaud, *La guerre des boutons*, livre II, ch. 4) « Lorsque Nana, en passant devant l'Assommoir, apercevait sa mère au fond, le nez dans la goutte, avachie au milieu des engueulades des hommes, elle était prise d'une colère bleue, parce que la jeunesse, qui a le bec tourné à une autre friandise, ne comprend pas la boisson. » (Émile Zola, *L'assommoir*, ch. 11)	

LES PROCÉDÉS GRAMMATICAUX

Étudier les procédés grammaticaux dans un texte, c'est étudier les différentes catégories grammaticales utilisées par l'auteur et définir l'emploi particulier qu'il en a fait. Les différentes catégories à observer sont : les déterminants, les noms, les pronoms, les verbes et les adverbes. On peut aussi s'attarder à l'emploi du singulier et du pluriel, de la négation, etc.

PROCÉDÉS	DÉFINITION/EXPLICATION	EFFETS/SENS
LES DÉTERMINANTS **Les articles** • définis	le, la, l', les	Les articles définis désignent un objet ou une personne uniques ou connus de tous, ou dont on a déjà parlé. Effet de précision.
• indéfinis	un, une, des	Les articles indéfinis désignent un objet ou une personne non précisés ou non connus. Effet d'indétermination.
• partitifs	du, de la, des	
• contractés	au (a + le), aux (à + les), du (de + le), des (de + les)	
Les adjectifs • possessifs	(voir tableau ci-dessous)	Les adjectifs possessifs soulignent l'appartenance, la possession.

Personne et genre	Un possesseur		Plusieurs possesseurs	
	Un objet	Plusieurs objets	Un objet	Plusieurs objets
1re masc.	mon	mes	notre	nos
1re fém.	ma	mes	notre	nos
2e masc.	ton	tes	votre	vos
2e fém.	ta	tes	votre	vos
3e masc.	son	ses	leur	leurs
3e fém.	sa	ses	leur	leurs

LES PROCÉDÉS GRAMMATICAUX (suite)

PROCÉDÉS	DÉFINITION/EXPLICATION	EFFETS/SENS
• démonstratifs	<table><tr><td>Nombre</td><td>Genre</td><td></td></tr><tr><td>Sing.</td><td>Masc.</td><td>ce, cet (devant une voyelle ou un h muet)</td></tr><tr><td></td><td>Fém.</td><td>cette</td></tr><tr><td>Plur.</td><td>Masc.</td><td>ces</td></tr><tr><td></td><td>Fém.</td><td>ces</td></tr></table>	Les adjectifs démonstratifs déterminent le nom désignant une personne ou une chose que l'on montre, dont on a parlé ou dont on va parler. Ils attirent l'attention en montrant, rappellent ce qui a déjà été dit.
• indéfinis	aucun — nul — je ne sais quel autre — pas un — quel certain — plus d'un — quelconque chaque — plusieurs — quelque maint — différents — tel même — divers — tout, etc. n'importe quel	Les adjectifs indéfinis ajoutent une idée plus ou moins vague de qualité, de ressemblance, de différence, etc. Ils marquent soit la totalité, soit un nombre approximatif, vague.
• relatifs	lequel, duquel, auquel (masc., sing.) laquelle, de laquelle, à laquelle (fém., sing.) lesquels, desquels, auxquels (masc., plur.) lesquelles, desquelles, auxquelles (fém., plur.)	Les adjectifs relatifs s'emploient dans la langue judiciaire ou administrative et dans la langue littéraire, quand la clarté l'exige.
• interrogatifs	quel (masc., sing.), de quel, pour quel, avec quel, etc. ? quelle (fém., sing.), de quelle, pour quelle, avec quelle, etc. ? quels (masc., plur.), de quels, pour quels, avec quels, etc. ? quelles (fém., plur.), de quelles, pour quelles, avec quelles, etc. ?	Les adjectifs interrogatifs servent à poser une question sur l'identité, le rang, la qualité de la personne ou de la chose désignée par le nom.
• exclamatifs	quel (masc., sing.) [...] ! quelle (fém., sing.) [...] ! quels (masc., plur.) [...] ! quelles (fém., plur.) [...] !	Les adjectifs exclamatifs sont les mêmes que les adjectifs interrogatifs. Ils expriment l'étonnement, l'admiration, l'indignation, le mépris, etc.

PROCÉDÉS	DÉFINITION/EXPLICATION	EFFETS/SENS
• numéraux	Cardinaux : un, deux, trois, [...] cent, etc. Ordinaux : premier, deuxième, troisième, etc. Multiplicatifs : simple, double, triple, quadruple, quintuple, etc. Fractions : demi, tiers, quart, cinquième, centième, etc. Dérivés en « ain-aine-aire » : quatrain, dizaine, quadragénaire, millénaire, etc.	Les adjectifs numéraux indiquent d'une manière précise le nombre, l'ordre ou le rang des êtres ou des choses dont on parle.
Le nom • commun	Le nom commun désigne tous les êtres ou toutes les choses de la même espèce. ***Exemples*** : table, érable, chien, élève.	
• propre	Le nom propre ne désigne qu'un seul être ou un seul groupe d'êtres d'une même espèce. ***Exemples*** : Paul, Québec, les Français.	
• individuel	Le nom individuel désigne un être particulier, une chose particulière. ***Exemples*** : jardin, automobile.	
• collectif	Le nom collectif désigne un groupe, un ensemble, une collection d'êtres animés ou de choses. ***Exemples*** : foule, tas, assemblée, classe.	
• simple	Le nom simple est celui qui est formé d'un seul mot. ***Exemples*** : coffre.	
• composé	Le nom composé est celui qui est formé de plusieurs mots. ***Exemples*** : coffre-fort, pomme de terre.	
• concret	Le nom concret désigne une chose ou un être réels, ayant une existence propre, perceptible par les sens. ***Exemples*** : terre, gomme, pluie.	

LES PROCÉDÉS GRAMMATICAUX (suite)

PROCÉDÉS	DÉFINITION/EXPLICATION	EFFETS/SENS
• abstrait	Le nom abstrait désigne une qualité, une propriété séparée par notre esprit du sujet auquel elle est unie, qui est considérée comme existant indépendamment de ce sujet. ***Exemples*** : patience, épaisseur.	
• comptable	Le nom comptable est un nom dont on peut compter les unités. ***Exemples*** : homme, page, gant.	
• non comptable	Le nom non comptable est un nom dont on ne peut compter les unités. ***Exemples*** : neige, eau, lait, air.	
Extension du groupe nominal	Le groupe nominal constitué d'un déterminant et d'un nom peut être complété par l'ajout d'un groupe adjectival, d'un groupe prépositionnel ou d'une proposition relative : ***Exemples*** : Elle est d'<u>une beauté étonnante</u> (groupe adjectival) Elle est d'une <u>très grande beauté</u> (groupe adjectival) C'est un trésor <u>de l'Antiquité</u> (groupe prépositionnel) C'est un trésor <u>qui nous provient de l'Antiquité</u> (proposition relative)	L'usage des procédés d'extension nominale traduit un souci de clarté, de précision, une volonté d'analyser, de rationaliser.

Les pronoms

• personnels

Les pronoms personnels (je, tu, il, nous, etc.) ou adverbiaux (en, y) représentent un nom, un autre pronom ou un groupe nominal. Ils assurent l'économie du discours et permettent souvent d'éviter des répétitions.

Ils indiquent quelle personne parle ou reçoit le message : « je (me, moi) » représente le sujet de l'énonciation et « tu (te, toi) », le destinataire du message. Ce sont les pronoms de la présence. Les pronoms « il » et « elle » (le, lui, ils, eux, elles, les, leur) représentent les personnes dont le « je » parle : ce sont les pronoms de l'absence.

Les pronoms « nous » et « vous » ont des emplois divers. Ainsi, « nous » peut remplacer « je + tu », « je + il » ou « je » seul (dans certains textes à caractère officiel ou scientifique).

Le pronom « on » a soit une valeur d'indéfini (= quelqu'un), soit une valeur élargie (= tout le monde, par exemple dans les maximes, les sentences et les proverbes), soit une valeur de substitut (de « je », « vous », « il » ou « nous »).

Exemples :

On frappe à la porte (= quelqu'un).

On a toujours besoin d'un plus petit que soi (= tout le monde).

On arrive tout de suite (= nous).

On se tait (= tu ou vous).

Les pronoms personnels désignent les êtres en marquant la personne grammaticale. Ils précisent les personnes du discours : qui parle, à qui on parle, de qui on parle. Ils permettent donc d'identifier l'énonciation et jouent un rôle dans la détermination du point de vue.

Nombre	Pers.	Sujet	C.O.D.	C.O.I.	C. prép. attribut	Forme accentuée
Sing.	1re	je	me	me	moi	moi-même
	2e	tu	te	te	toi	toi-même
	3e	il elle	le la	lui	lui elle	lui-même elle-même
Pronom réfléchi			se	se	soi	soi-même
Plur.	1re	nous	nous	nous	nous	nous-mêmes nous autres
	2e	vous	vous	vous	vous	vous-mêmes vous autres
	3e	ils elles	les	leur	eux	eux-mêmes elles-mêmes
Pronoms réfléchis			se	se	elles	elles-mêmes

LES PROCÉDÉS GRAMMATICAUX (suite)

PROCÉDÉS	DÉFINITION/EXPLICATION	EFFETS/SENS
• possessifs	(voir tableau ci-dessous)	Les pronoms possessifs représentent ou remplacent le nom en spécifiant l'idée de possession, d'appartenance. Ils renvoient aux personnes du discours.

Personne et genre	Un possesseur		Plusieurs possesseurs	
	Un objet	Plusieurs objets	Un objet	Plusieurs objets
1re masc.	le mien	les miens	le nôtre	les nôtres
1re fém.	la mienne	les miennes	la nôtre	les nôtres
2e masc.	le tien	les tiens	le vôtre	les vôtres
2e fém.	la tienne	les tiennes	la vôtre	les vôtres
3e masc.	le sien	les siens	le leur	les leurs
3e fém.	la sienne	les siennes	la leur	les leurs

PROCÉDÉS	DÉFINITION/EXPLICATION	EFFETS/SENS
• démonstratifs	(voir tableau ci-dessous)	Les pronoms démonstratifs désignent les personnes, les êtres, les choses, les idées que l'on montre, dont on parle, dont on a parlé, dont on va parler. Ils reprennent une notion, rappellent une personne dont il a déjà été question. Ils désignent en attirant l'attention.

Nombre	Genre	Formes simples non renforcées	Formes composées renforcées
Sing.	masc.	celui	celui-ci, celui-là
	fém.	celle	celle-ci, celle-là
	neutre	ce	ceci, cela, ça
Plur.	masc.	ceux	ceux-ci, ceux-là
	fém.	celles	celles-ci, celles-là

PROCÉDÉS	DÉFINITION/EXPLICATION	EFFETS/SENS
• indéfinis	aucun / autre / autre chose / autrui / certain / chacun / d'aucun / grand-chose / je ne sais qui / je ne sais quoi / l'autre / le même / l'un / n'importe qui / n'importe quoi / nul / on / pas un / personne / peu de choses / plus d'un / plusieurs / quelque chose / quelqu'un / quiconque / qui que / quoi que / rien / un tel / tout	Les pronoms indéfinis s'emploient pour désigner d'une manière vague des personnes ou des choses dont l'idée est exprimée ou non, avant ou après elles. Ils désignent quelqu'un dont on ne précise pas l'identité. Ils jouent un rôle important dans l'énonciation.

GUIDE DES PROCÉDÉS D'ÉCRITURE ET DES GENRES LITTÉRAIRES

• relatifs

Fonctions ordinaires	Formes simples		Formes composées			
	Aux 2 genres et aux 2 nombres	Neutre (sing.)	Singulier		Pluriel	
			Masc.	Fém.	Masc.	Fém.
Sujet	qui	que				
C.O.D. Attribut	que	que	lequel	laquelle	lesquels	lesquelles
	dont, où					

• interrogatifs

Fonctions	Formes simples		Formes composées			
	masc. / fém.	Neutre	Singulier		Pluriel	
			Masc.	Fém.	Masc.	Fém.
Sujet	qui ?	que ?	lequel ?	laquelle ?	lesquels ?	lesquelles ?
C.O.D. Attribut	qui ?	que ? quoi ?				
C.O.I. et C. prép.	qui ?	quoi ?	auquel duquel	à laquelle de laquelle	auxquels desquels	auxquelles desquelles

EFFETS/SENS (interrogatifs) : Les pronoms interrogatifs sont des mots qui servent à poser une question sur les personnes ou sur les choses dont on parle ou dont on va parler.

LES PROCÉDÉS VERBAUX

L'étude des verbes consiste à interroger les types de verbe et à examiner les modes et les temps verbaux.

Les types de verbes

On distingue ainsi les verbes d'état, d'action, de réflexion, de volonté, d'affirmation, de sentiment, de parole, d'énonciation, etc.

Le mode verbal

Le mode verbal est une façon de concevoir et de présenter l'action exprimée par le verbe. Il existe quatre modes dits « personnels » ; ce sont l'indicatif, l'impératif, le subjonctif et le conditionnel. L'infinitif et le participe, quant à eux, sont des modes « impersonnels ».

• l'indicatif

L'indicatif affirme la réalité d'un fait.

Exemple : Il est arrivé hier et il repartira demain.

EFFETS/SENS : Faits réels, certains.

LES PROCÉDÉS GRAMMATICAUX (suite)

PROCÉDÉS	DÉFINITION/EXPLICATION	EFFETS/SENS
• l'impératif	L'impératif sert à exprimer l'action du verbe sous la forme d'un ordre, d'une exhortation ou d'une prière. ***Exemple*** : « Tâchons d'entrer dans la mort les yeux ouverts. » (Marguerite Yourcenar). On ne lui connaît que trois personnes verbales (2ᵉ personne du singulier et 1ʳᵉ et 2ᵉ personnes du pluriel) et le pronom sujet n'est jamais exprimé. ***Exemple*** : aime, aimons, aimez. L'impératif existe au présent et au passé. Toutefois, l'emploi du passé est plus restreint. On l'utilise pour souligner qu'un fait devra être accompli dans le futur et par rapport auquel il sera passé. ***Exemple*** : Aie terminé ton devoir avant la fin du cours !	L'impératif marque la volonté, l'autorité, la supériorité. Il peut aussi exprimer la supposition. ***Exemple*** : Ignorons-le : il se trahira tôt ou tard.
• le subjonctif	Le subjonctif interprète le fait : il en indique la possibilité, le caractère souhaité, douteux, etc. Il est perçu du point de vue du sujet. ***Exemples*** : Il est possible qu'il vienne demain et qu'il reparte aussitôt. Je veux que vous arriviez. L'indicatif équivaut à une volonté réelle, tandis que le subjonctif relate un fait hypothétique.	Faits incertains, éventuels ; ordres ou interdictions ; suppositions ; souhaits ; buts ; conséquences ; concessions ; restrictions.
• le conditionnel	Il faut distinguer deux conditionnels. • Le mode conditionnel, qui s'emploie quand un fait est soumis à une condition. ***Exemple*** : Si j'étais sûr que tu viennes, je m'arrangerais pour être libre. • Le temps conditionnel, ou le futur dans le passé. ***Exemple*** : Il dit qu'il viendra. Il disait qu'il viendrait.	Faits soumis à une condition ; futur dans le passé ; expression de la rêverie ; expression de la politesse ; informations incertaines.

PROCÉDÉS	DÉFINITION/EXPLICATION	EFFETS/SENS
• l'infinitif	L'infinitif est le nom donné à un verbe qui n'est pas conjugué (ni temps, ni personne). C'est en quelque sorte le nom du verbe. On distingue trois groupes de verbes à l'infinitif, et ceux-ci servent de modèle de conjugaison à tous les verbes réguliers qui appartiennent à chacun de ces groupes. • 1er groupe : verbes dont la terminaison infinitive est « er ». **Exemple** : aim-er. • 2e groupe : verbes dont la terminaison infinitive est « ir » et qui font « issant » au participe. Exemple : fi-nir. • 3e groupe : tous les autres verbes réguliers. **Exemples** : croire, dire, connaître, apprendre, etc.	Ordres ou interdictions ; expression de la narration.
• le participe	Il s'agit de la forme adjective du verbe, qui exprime l'action à la manière d'un adjectif. **Exemples** : aimant (présent), ayant aimé (passé).	Valeur d'adjectif : caractérisation, précision ; valeur de complément circonstanciel.
Le temps verbal	Le temps verbal est employé lorsqu'un fait peut être considéré comme étant inachevé ou accompli. **Exemples** : il court (inachevé), il est parti (accompli). Les formes simples du verbe expriment l'aspect inachevé du fait ; les formes composées, son aspect accompli.	
• l'expression du présent	<table><tr><td>Forme simple</td><td>Forme composée</td></tr><tr><td>Présent : j'aime</td><td>Passé composé : j'ai aimé</td></tr></table>	Faits en cours ; paroles en train d'être prononcées ; présent de narration (rendre un récit au passé plus présent) ; vérité générale ; répétitions ; éventualité (subordonnée par « si ») ; passé proche ; futur proche.

LES PROCÉDÉS GRAMMATICAUX (suite)

PROCÉDÉS	DÉFINITION/EXPLICATION		EFFETS/SENS
• l'expression du passé	L'imparfait : j'aimais	Plus-que-parfait : j'avais aimé	Durée, répétition, habitude, monotonie ; temps de la description ; valeur circonstancielle de cause (**ex.** : Elle frissonna parce qu'elle <u>avait peur</u>) ou de condition (**ex.** : Je l'aurais aidé, si elle y <u>avait mis</u> aussi du sien) ; éventualité (**ex.** : Un pas de plus et il <u>tombait</u>).
	L'imparfait et le plus-que-parfait ont une double valeur. • Durative : le fait était en cours d'accomplissement. C'est le temps par excellence de la description au passé. **Exemple** : Il pleuvait sur Brest ce jour-là. • Répétitive : l'imparfait souligne d'habitude que le fait se répète. **Exemple** : J'allais à la piscine le dimanche.		
	Passé simple : j'aimai	Passé antérieur : j'eus aimé	Action soudaine ; action ponctuelle et achevée ; durée limitée, encadrée dans le temps ou projetée au premier plan.
	Le passé simple et le passé antérieur ont, eux aussi, une double valeur. • Ponctuelle : ils évoquent un fait qui n'est pas envisagé dans sa durée. **Exemple** : Il passa sur la route (et non : Il passait sur la route). • D'exception : le fait ne s'est produit qu'une seule fois. **Exemple** : Il vint me voir pendant les vacances (et non : Il venait me voir pendant les vacances).		
• l'expression du futur	Futur simple : j'aimerai	Futur antérieur : j'aurai aimé	Dans un récit au présent, le futur exprime un fait à survenir dans un avenir plus ou moins rapproché (**ex.** : Je lui répondrai bientôt) ; il peut aussi exprimer un futur historique dans un récit au présent ou au passé (**ex.** : Napoléon devient empereur en 1804
	Conditionnel : j'aimerais	Conditionnel passé : j'aurais aimé	

PROCÉDÉS	DÉFINITION/EXPLICATION	EFFETS/SENS
		et il le restera pendant 10 ans) ou encore un fait futur probable (**ex.** : Elle se découragera devant tant de difficultés) ; il peut aussi exprimer un ordre (**ex.** : Tu parleras avant moi). Quant au conditionnel, qui exprime un fait futur dans le passé, il marque une probabilité, une éventualité (**ex.** : S'il changeait d'attitude, il réussirait davantage) ou un fait irréel (**ex.** : Si je savais où la trouver, je lui parlerais).

LES PROCÉDÉS SYNTAXIQUES

Faire l'étude syntaxique d'un texte, c'est analyser le mode d'organisation des énoncés qui le composent. L'unité syntaxique de base étant la phrase, on déterminera le type de cette dernière, sa longueur, sa structure (simple ou complexe), les liens qu'entretiennent les mots et les propositions qui la constituent, de même que le rythme qui s'en dégage.

PROCÉDÉS	DÉFINITION/EXPLICATION	EFFETS/SENS
LES TYPES DE PHRASES	Il existe quatre types de phrases qui correspondent à quatre intentions différentes de la part de celui qui s'exprime.	
La phrase déclarative	La phrase déclarative se caractérise par la présence d'un point à la fin de la phrase, de verbes ou de tournures d'affirmation, de négation et de doute. ***Exemple*** : À cette heure tardive, il n'y avait plus que le bruit du vent soufflant dans la campagne.	Elle formule une déclaration qui peut être affirmative, négative ou dubitative.

LES PROCÉDÉS SYNTAXIQUES (suite)

PROCÉDÉS	DÉFINITION/EXPLICATION	EFFETS/SENS
La phrase impérative	La phrase impérative se caractérise par l'emploi de l'impératif ou du subjonctif. Elle est fréquemment construite avec des verbes de volonté. ***Exemples*** : Va vite te coucher ! Je veux que tu ailles te coucher.	Elle énonce un ordre (conseil, souhait, commandement).
La phrase interrogative	La phrase interrogative se caractérise par l'emploi de pronoms interrogatifs, l'inversion de l'ordre sujet/verbe, une intonation ascendante et l'usage du point d'interrogation (?). ***Exemple*** : Pourquoi est-il venu te voir ?	Elle exprime une question, une demande.
La phrase exclamative	La phrase exclamative se caractérise par l'emploi de pronoms ou d'adjectifs exclamatifs, mais aussi par une intonation appropriée au sentiment exprimé. Le point d'exclamation termine la phrase comme dans le cas de l'impératif. ***Exemples*** : (exclamatif) Quelle course prodigieuse il a accomplie ! (impératif) Sortez !	Elle traduit la surprise, la joie ou la tristesse, l'intensité du désir, etc.
LA LONGUEUR DES PHRASES **La phrase courte**	***Exemple*** : Va !	Le déroulement de phrases brèves et nombreuses, marqué par une ponctuation forte et très rapprochée ainsi que par la suppression de certains mots de liaison, amène une rupture de rythme, exprimant ainsi le morcellement, l'hésitation, le désordre, l'émotion ou, au contraire, le refus de l'épanchement.

PROCÉDÉS	DÉFINITION/EXPLICATION	EFFETS/SENS
La phrase longue	*Exemple* : Le père de mon ami d'enfance, dont il vaudrait mieux taire le nom puisque nous risquons de lui faire du tort même si ce n'est pas notre intention, a témoigné au commissaire enquêteur de la ville où il séjournait de tout ce qu'il avait vu du meurtre survenu la veille au bar du coin dans lequel il s'était arrêté dans l'espoir de se reposer un peu de la pénible fatigue que lui avait causée le long périple qu'il avait entrepris quelques semaines auparavant.	Le déroulement (long ou court) des phrases, combiné à d'autres éléments du texte, produit des effets qui sont toujours en relation avec le sens du texte. La phrase complexe, qui se caractérise par de nombreuses subordinations et articulations logiques, dénote une structure démonstrative ou une période oratoire. L'abondance d'énumérations et de signes de ponctuation souligne un souci de précision des détails qui conduit à des effets d'accumulation.
LA STRUCTURE DES PHRASES **La phrase simple**	La phrase simple ne comporte qu'un seul verbe et s'organise autour d'une information en suivant la structure simple : groupe sujet + groupe verbal + complément(s) (phrase nominale, si elle ne comporte pas de verbe). *Exemple* : Qui les a fixées sur ma tête ?	Elle est présente dans tous les types de textes. Sa fréquence est néanmoins plus grande dans les récits de vulgarisation : articles de journaux, modes d'emploi, titres, slogans, textes publicitaires.
La phrase nominale	La phrase nominale est constituée de noms ou de groupes nominaux, sans verbe. *Exemple* : Quelle bizarre nuit !	Elle permet des raccourcis saisissants. Elle est employée, par exemple, pour accélérer le déroulement d'un récit lorsque les événements se précipitent, ou pour rendre une exclamation plus frappante.

LES PROCÉDÉS SYNTAXIQUES (suite)

PROCÉDÉS	DÉFINITION/EXPLICATION	EFFETS/SENS
La phrase composée	La phrase composée est formée de plusieurs propositions juxtaposées ou coordonnées. ***Exemple*** : On se débat ; c'est vous, c'est lui, c'est moi, c'est toi ; non, ce n'est pas nous : qui est-ce alors ?	La juxtaposition permet l'accumulation. La coordination, quant à elle, permet des phrases d'addition (et), d'opposition (mais), de cause (car) (*Voir mode de liaison des mots ou des propositions*).
La phrase complexe	La phrase complexe est formée d'une proposition principale et d'une (ou plusieurs) propositions subordonnées. ***Exemple*** : Il s'aperçut soudain que les espoirs qu'il avait fondés sur cet enfant, dont il pouvait tout espérer, allaient être réduits en fumée par cette maladie fatale qui le minait chaque jour davantage. On trouve cinq propositions dans cette phrase. 1. Il s'aperçut soudain (principale) 2. que les espoirs allaient être réduits en fumée par cette maladie (subordonnée conjonctive, complément d'objet direct de s'aperçut) 3. qu'il avait fondés (subordonnée relative, complément du nom espoirs) 4. dont il pouvait tout espérer (subordonnée relative, complément du nom enfant) 5. qui le minait chaque jour davantage (subordonnée relative, complément du nom maladie) **Note** : Le discours d'argumentation offre l'exemple parfait de la phrase complexe qui, dans ce cas, se nomme période.	La phrase complexe s'organise en général autour d'une information principale sur laquelle se greffent tous les éléments indispensables à sa compréhension. La structure de la phrase complexe respecte le schéma : proposition principale + propositions subordonnées. Bien que présente dans tous les types de textes, la phrase complexe demeure l'une des caractéristiques du style littéraire.
LE MODE DE LIAISON DES MOTS OU DES PROPOSITIONS **La juxtaposition**	La juxtaposition lie des éléments de même nature ou de même fonction en les plaçant les uns à la suite des autres et en les unissant par des signes de ponctuation (virgule, point-virgule, deux-points). L'énumération est un exemple de juxtaposition	Elle peut créer un effet d'accumulation, de profusion.

PROCÉDÉS	DÉFINITION/EXPLICATION	EFFETS/SENS
La coordination	La coordination lie des éléments de même nature ou de même fonction en les coordonnant par une conjonction de coordination. ***Exemples*** : et, aussi, soit, de même, de plus, c'est-à-dire, etc. ***Exemples*** : ou, ni, soit... soit. ***Exemples*** : mais, or, néanmoins, cependant, toutefois, pourtant, en revanche, inversement, au contraire. ***Exemples*** : car, en effet. ***Exemples*** : donc, aussi, en conséquence, c'est pourquoi, par conséquent.	La coordination permet : • des effets d'analogie, de rapprochement, d'équivalence, d'adjonction ; • des effets de disjonction, de séparation, d'alternance ; • des effets d'opposition, d'objection, de contradiction ; • des effets de cause, de motivation, d'explication ; • des effets de conséquence, de déduction, de corollaire.
La subordination	La subordination lie une proposition subordonnée à la principale, qu'elle complète au moyen d'une conjonction de subordination ; ou à un nom, qu'elle complète au moyen d'un pronom relatif. ***Exemples*** : comme, ainsi que, de même que, aussi, plus, autant... autant, plus... plus, comme si, aussi que, autant que, plutôt que, d'autant plus/moins que, outre que. ***Exemples*** : soit que... soit que, non pas que.... mais, sauf que, sauf si, si ce n'est, excepté que, excepté si, à moins que. ***Exemples*** : tandis que, alors que, quand, si, au lieu que, là où, loin que, bien que, même si, encore que, quoique, quand même, quel que, quelque... que, si... que, tout... que. ***Exemples*** : parce que, du fait que, de ce que, vu que, étant donné que, puisque, comme, c'est que, du moment que, dès lors que, sous prétexte que, d'autant que. ***Exemples*** : de telle sorte (façon, manière) que, si bien que, au point que, si... que, trop... pour que.	La subordination permet : • des effets d'analogie, de rapprochement, d'équivalence, d'adjonction ; • des effets de disjonction, de séparation, d'alternance ; • des effets d'opposition, d'objection, de contradiction ; • des effets de cause, de motivation, d'explication ; • des effets de conséquence, de déduction, de corollaire.

LES PROCÉDÉS SYNTAXIQUES (suite)

PROCÉDÉS	DÉFINITION/EXPLICATION	EFFETS/SENS
LE RYTHME	On peut étudier le rythme, tant dans un texte en prose que dans un texte en vers. L'unité à étudier est, dans le premier cas, la phrase et, dans le second, le vers. Le rythme découle de la longueur des phrases successives ; de la longueur relative des groupes dans la phrase, dont la disposition crée des rythmes croissants, décroissants, accumulatifs ou alternés ; de même que de la répétition des constructions syntaxiques, qui crée parfois des rythmes binaires ou ternaires. Le rythme crée donc des effets de balancement dans les phrases et rend souvent l'émotion de l'écrivain.	
Le rythme binaire	La phrase contient deux segments de même longueur, avec la même construction. **Exemple** : « [...] l'un brisera la chaîne, l'autre la resserrera. » (Alfred de Musset, *De la tragédie*)	On obtient alors une symétrie qui permet le parallélisme ou l'opposition des idées.
Le rythme ternaire	La phrase contient trois segments de même longueur, avec la même construction. **Exemple** : « Je n'ai plus rien à apprendre, j'ai marché plus vite qu'un autre, et j'ai fait le tour de la vie . » (Chateaubriand)	On obtient alors un effet de parallélisme ou de simultanéité.

PROCÉDÉS	DÉFINITION/EXPLICATION	EFFETS/SENS
Le rythme accumulatif	Une série de mots ou de propositions se succèdent dans la phrase. ***Exemple*** : « Je m'en vais vous mander la chose la plus étonnante, la plus surprenante, la plus merveilleuse, la plus miraculeuse, la plus triomphante, la plus étourdissante, la plus inouïe, la plus singulière, la plus extraordinaire, la plus incroyable, la plus imprévue, la plus grande, la plus petite, la plus rare, la plus commune, la plus éclatante, la plus secrète jusqu'aujourd'hui, la plus brillante, la plus digne d'envie : enfin une chose dont on ne trouve exemple dans les siècles passés, encore cet exemple n'est-il pas juste ; une chose que l'on ne peut pas croire à Paris (comment la pourrait-on croire à Lyon ?) ; une chose qui fait crier miséricorde à tout le monde ; une chose qui comble de joie Mme de Rohan et Mme d'Hauterive ; une chose enfin qui se fera dimanche, où ceux qui la verront croiront avoir la berlue ; une chose qui se fera dimanche et qui ne sera peut-être pas faite lundi. » (Phrase extraite d'une lettre de la marquise de Sévigné) À remarquer. • La ponctuation : multiplicité des virgules (20) et des points-virgules (5) ; • Le rythme binaire (disposition par groupes de deux) dans les séries d'adjectifs. Tous les procédés ici présents, y compris le rythme, visent à piquer la curiosité du lecteur en donnant l'illusion de découvrir la notion la plus indéfinie par nature : une « chose ».	On obtient une impression de foisonnement ou d'accablement.

LES PROCÉDÉS SYNTAXIQUES (suite)

PROCÉDÉS	DÉFINITION/EXPLICATION	EFFETS/SENS
Le rythme croissant ou décroissant	À l'intérieur de la phrase, les séries de mots ou les propositions, d'abord courtes, deviennent de plus en plus longues (ou à l'inverse). **Exemples** : *Rythme croissant* : « Je suis sale. Les poux me rongent. Les pourceaux, quand ils me regardent, vomissent. » (Lautréamont, *Les chants de Maldoror*, IV, 4) *Rythme décroissant* : « Vieil océan, aux vagues de cristal, tu ressembles proportionnellement à ces marques azurées que l'on voit sur le dos meurtri des mousses ; tu es un immense bleu, appliqué sur le corps de la terre ; j'aime cette comparaison. » (Lautréamont, *Les chants de Maldoror*, I, 9)	Effet d'amplitude (l'ivresse : descente vers la chute).
Le rythme alterné	À l'intérieur d'une même phrase, des séries de mots ou des propositions courtes alternent avec des propositions longues. **Exemple** : « J'appris à connaître la mort sur les lèvres de celui qui m'avait donné la vie. Cette impression fut grande ; elle dure encore. C'est la première fois que l'immortalité de l'âme s'est présentée clairement à mes yeux. » (Chateaubriand, *René*)	Les propositions courtes insistent sur les données catégoriques du discours ; les longues, sur les méandres du sentiment, de l'idée.

LES PROCÉDÉS DE PONCTUATION

La ponctuation, tout comme les mots de liaison, assure l'articulation d'un texte en renforçant les liens logiques entre les phrases, les propositions et les groupes de mots. Elle permet donc de délimiter facilement les parties du discours et favorise sa compréhension (, ; : .). Les signes de ponctuation sont également des indicateurs (à l'écrit) de l'intonation (! ? ...). Enfin, ils permettent de transcrire le changement d'interlocuteur dans un dialogue (— «)

PROCÉDÉS	DÉFINITION/EXPLICATION	EFFETS/SENS
Le point (.)	Le point marque la fin d'une phrase.	Il sert à marquer une déclaration, une affirmation.
Le point d'interrogation (?)	• Le point d'interrogation exprime généralement une interrogation au style direct. ***Exemple*** : Peux-tu venir m'aider ? • Il peut parfois camoufler une phrase déclarative, voire un ordre déguisé. ***Exemples*** : Ne peut-on rien voir de plus laid ? Ne pourriez-vous pas m'aider ? • Il peut aussi être source d'ironie. ***Exemple*** : Connaît-on de plus haute intelligence que la vôtre ? (Vous n'êtes guère intelligent.) • Il permet des effets oratoires : de fausses questions qui sont en fait des déclarations renforcées. ***Exemple*** : Dans quels précipices ne tombe-t-on pas lorsqu'on s'éloigne des voies de la raison ? • Il peut aussi créer un effet d'atténuation. ***Exemple*** : Ne pourriez-vous pas venir demain ? (Venez demain.)	Il sert surtout à marquer le questionnement, mais il peut aussi être une forme de commandement, d'ironie, d'effets oratoires ou d'atténuation. Dans tous les cas, il doit être considéré comme un indice de subjectivité.
Le point d'exclamation (!)	Le point d'exclamation exprime l'intensité d'un sentiment (étonnement, indignation, colère, stupéfaction, etc.). ***Exemples*** : « Ô contrecoups du crime au fond de l'âme humaine ! » (Victor Hugo, *Les Châtiments*) « Je fermai les yeux pour ne pas voir cela. Oh ! je ne voulais pas voir cela ! » (Villiers de L'Isle-Adam, « Le visiteur de minuit » dans *Contes cruels*)	La présence de points d'exclamation ainsi que celle des points d'interrogation et de suspension dénotent un texte ou un passage affectif (émotif).

LES PROCÉDÉS DE PONCTUATION (suite)

PROCÉDÉS	DÉFINITION/EXPLICATION	EFFETS/SENS
Les points de suspension (...)	Les points de suspension expriment une pause ou un inachèvement du récit, ou encore une coupure. Ils suggèrent qu'on ne veut pas — ou qu'on ne peut pas — continuer. **Exemple** : « Si le soleil avait été là, peut-être que ça n'aurait pas été la même chose... » (J.-M. le Clézio, *La guerre*)	Ils soulignent l'affectivité.
Le deux-points (:)	Le deux-points introduit le discours au style direct, une énumération ou encore une conclusion. Il suggère toujours une suite attendue ; il exprime un rapport de cause ou de conséquence. **Exemples** : • d'énumération : « Il voyageait toujours son carrosse plein de femmes : ses maîtresses, après ses bâtardes, ses belles-filles, quelquefois Madame, et des dames quand il y avait de la place. » (Saint-Simon, *Mémoires*) • de conclusion : « Travaillons donc à bien penser : voilà le principe de la morale. » (Blaise Pascal, *Pensées*) • d'explication : « J'ai entendu la Lézarde : elle criait [...] une chanson chaotique et sauvage. » (Édouard Glissant, *La Lézarde*)	Il souligne la rationalité, peut aussi témoigner d'un souci de clarté, de précision. Il est souvent utilisé dans les textes où l'on cherche à convaincre par la raison.
Le point-virgule (;)	Le point-virgule marque une pause assez importante à l'intérieur d'une phrase. **Exemple** : « L'homme n'est qu'un roseau, le plus faible de la nature ; mais c'est un roseau pensant. » (Blaise Pascal, *Pensées*)	Il exprime un souci de précision, de clarté et est souvent utilisé dans l'argumentation rationnelle et l'analyse psychologique.
La virgule (,)	La virgule marque une pause brève et sert à juxtaposer des éléments semblables (mots ou propositions) ; elle marque le déplacement de certains éléments (mots ou propositions) dans la phrase ; elle encadre une opposition, une incise, une relative explicative. **Exemples** : • éléments semblables : « Ils étaient les hommes et les femmes du sable, du vent, de la lumière, de la nuit. » (J.-M. G. Le Clézio, *Le désert*)	La virgule souligne un souci de précision pouvant aller jusqu'à créer un effet d'accumulation.

PROCÉDÉS	DÉFINITION/EXPLICATION	EFFETS/SENS
La virgule (,) (*suite*)	• déplacement : « <u>Avec de la patience, du flair, et peut-être des ruses bien étudiées,</u> on pouvait sûrement retrouver cette porte [...] » (H. Bosco, *Antonin*) • opposition : « Tous les vices ont leurs tanières, <u>les exquis et les hideux,</u> dans ce désert de pierres blanches. » (Verlaine, *Sagesse*) • incise : « Hélas ! <u>se disait Mathilde,</u> c'est à la cour de Henri II que l'on trouvait des hommes grands par le caractère comme par la naissance ! » (Stendhal, *Le rouge et le noir*) • relative explicative : « Le roi, <u>qui aimait l'air,</u> en voulait toutes les glaces baissées [...] » (Saint-Simon, *Mémoires*)	
Les guillemets (« »)	Les guillemets encadrent les paroles rapportées au style direct, isolent une citation, mettent en relief un mot important pour diverses raisons. ***Exemple*** : « Ma figure était si étrange, que ma mère, au milieu de sa colère, ne se pouvait empêcher de rire et de s'écrier : « Qu'il est laid ! » (Chateaubriand, *Mémoires d'outre-tombe*, I, 4)	Leur présence fréquente marque un souci d'objectivité.
Les parenthèses ( )	Les parenthèses encadrent un élément soit mineur, soit expressif.	Marquent le souci du détail ou de la précision.
Le tiret (–)	Le tiret marque un changement d'interlocuteur dans le dialogue, souligne une information, marque une rupture. ***Exemple*** : « Vous ne tirâtes donc aucun parti de votre position ? — Aucun. — Que faisiez-vous donc ? — Je m'ennuyais. » (Chateaubriand, *Mémoires d'outre-tombe*, I, 4)	L'utilisation systématique des tirets dans un texte permet de marquer l'appartenance au genre dramatique. Ailleurs, il permet de reconnaître les dialogues et de mesurer l'importance du discours direct par opposition au discours indirect ou aux passages narrés (récit). Ils créent dans tous les cas un effet d'authenticité, d'objectivité.

LES PROCÉDÉS STYLISTIQUES

Les procédés stylistiques permettent de rendre le discours efficace. Ils constituent un tour particulier que l'on donne à l'expression de sa pensée afin de séduire, de convaincre, d'émouvoir, d'impressionner, etc. Leur emploi n'est pas réservé qu'au discours littéraire. En effet, toute personne soucieuse de communiquer sa pensée de façon expressive y fera appel. L'analyse d'un texte littéraire doit faire ressortir le caractère indissociable du contenu des idées et de la forme qui est donnée à celui-ci par l'écrivain. On recense un grand nombre de procédés stylistiques parmi lesquels il convient de retenir ceux qui sont les plus utilisés.

PROCÉDÉS	DÉFINITION/EXPLICATION	EFFETS/SENS
LES FIGURES D'OPPOSITION **L'antithèse**	L'antithèse est un rapprochement de deux propositions ou expressions contrastées. On rencontre l'antithèse quand il y a présence, dans une phrase ou un texte, de deux termes s'opposant très fortement par leur sens afin de mettre en relief l'un des deux (ou les deux). ***Exemples*** : « Il inonda de sa lumière Ville et désert, Louvre et chaumière Et les plaisirs et les hauteurs... » (Victor Hugo, *Les rayons et les ombres*) « Sans raison, il est gai, sans raison il s'afflige. » (Boileau, *Satires*, VIII) « Il fait un peu l'aumône, il fait un peu l'usure... » (Victor Hugo, *Le soutien des empires*)	L'antithèse permet la mise en relief de la coexistence d'éléments opposés. Son étude permet de comprendre les oppositions à l'intérieur d'un texte et d'en déduire des effets.

PROCÉDÉS	DÉFINITION/EXPLICATION	EFFETS/SENS
L'antiphrase (ou ironie)	Cette figure consiste à exprimer une idée par son contraire dans une intention ironique, l'ironie étant une forme de moquerie qui s'exerce de façon détournée puisqu'elle laisse entendre le contraire de ce qu'elle dit. ***Exemples*** : C'est de bon goût (pour : c'est tout à fait déplacé). « Quelle allégresse aurez-vous dans votre âme Quand d'un époux si beau vous vous ferez la femme ! [...] Non, il faut qu'une fille obéisse à son père, Voulût-il lui donner un singe comme époux. » (Molière, *Tartuffe*)	L'antiphrase marque donc l'ironie.

Le chiasme	Cette figure est un effet de rythme consistant à regrouper deux énoncés symétriques, mais de manière inversée (disposition AB-BA).
	
	Exemple :
	« Je définis la cour un pays où les gens
	Tristes, gais, prêts / à tout, // à tout /
	    A / B // B /
	indifférents. »
	    A
	(La Fontaine, *Fables*, VIII, 14)
		Le chiasme peut également souligner l'union de deux réalités ou renforcer une antithèse.
		Il est donc une mise en relief de similitudes ou de parallélismes à l'intérieur d'oppositions ou vice versa.

L'oxymore	Cette figure est une forme de l'antithèse. Elle consiste à lier étroitement, par la syntaxe, deux mots sémantiquement opposés, mais de catégories grammaticales différentes. ***Exemple*** : « Je voulais en mourant prendre soin de ma gloire Et dérober au jour une **flamme** (nom) <u>si</u> **noire** (adj.). » (Racine, *Phèdre*, I, 3)	L'oxymore produit le même effet que l'antithèse, mais accentué par la proximité des termes opposés.

LES PROCÉDÉS STYLISTIQUES (suite)

PROCÉDÉS	DÉFINITION/EXPLICATION	EFFETS/SENS
LES FIGURES D'INSISTANCE **La répétition**	La répétition, c'est la reprise d'un même mot ou d'une même expression. ***Exemples*** : « <u>Le temps s'en va</u>, <u>le temps s'en va</u>, ma Dame... » (Ronsard, « Je vous envoie un bouquet », dans *Continuation des Amours*) « Ô <u>triste</u>, <u>triste</u> était mon âme <u>À cause</u>, <u>à cause</u> d'une femme » (Verlaine, « Ariettes oubliées » dans *Romances sans paroles*)	La répétition crée un effet d'insistance.
La redondance	La redondance est le renchérissement d'une expression. ***Exemple*** : « Dans un **amas** qui <u>bosse-lait irrégulièrement</u> la plaine, quelque chose de plus vague qu'un spectre se leva. » (Gustave Flaubert, *Salammbô*)	La redondance crée, tout comme la répétition, un effet d'insistance.
Le pléonasme	Le pléonasme, c'est la répétition d'une idée à l'intérieur d'une même expression pour la rendre plus expressive. ***Exemples*** : « Je ne sentis point cette horreur qui fait dresser les <u>cheveux sur la tête</u> et qui glace le <u>sang dans les veines</u> quand les dieux se communiquent aux mortels. » (Fénelon, *Télémaque*) « Mais plus personne plus personne ne se servira de <u>mon cœur à moi</u> ni de <u>ta voix à toi</u> qui résonne dans <u>mon oreille et mon corps à moi</u>. » (Claude Roy, *Poésies*)	Le pléonasme crée, lui aussi, un effet d'insistance.

PROCÉDÉS	DÉFINITION/EXPLICATION	EFFETS/SENS
L'anaphore	L'anaphore consiste en une répétition d'un même mot en début de phrases successives. Il s'agit donc d'un procédé qui répète un mot ou un groupe de mots en début de phrase ou de paragraphe. ***Exemple*** : « <u>Rome</u>, l'unique objet de mon ressentiment ! <u>Rome</u>, à qui vient ton bras d'immoler mon amant ! <u>Rome</u>, qui t'a vu naître, et que ton cœur adore ! <u>Rome</u>, enfin que je hais parce qu'elle t'honore ! » (Corneille, *Horace*, IV, 5) ***Exemple de triple anaphore*** : « Vous qui pleurez, venez à ce Dieu, car il pleure. Vous qui souffrez, venez à lui, car il guérit. Vous qui tremblez, venez à lui, car il sourit. Vous qui passez, venez à lui, car il demeure. » (Victor Hugo, *Les contemplations*)	Martèlement persuasif parfois obsessionnel ; répétition musicale.
LES FIGURES D'AMPLI-FICATION **L'hyperbole**	L'hyperbole est une figure qui amplifie une notion en l'exagérant. ***Exemples*** : « Le jésuite le plus jésuite des jésuites est encore mille fois moins jésuite que la femme la moins jésuite, jugez combien les femmes sont jésuites. » (Balzac, *Petites misères de la vie conjugale*) « Arrias <u>a tout lu</u>, <u>a tout vu</u>, il veut le persuader ainsi. » (La Bruyère, *Caractères*)	Il s'agit donc d'une exagération, d'une multiplication, d'un grossissement souvent épique dans le but de produire une forte impression. L'hyperbole amplifie jusqu'à l'exagération pour mettre en relief. Elle crée l'émotion, favorise la persuasion, grandit l'action pour souligner des défauts ou des qualités portés à leur paroxysme.

LES PROCÉDÉS STYLISTIQUES (suite)

PROCÉDÉS	DÉFINITION/EXPLICATION	EFFETS/SENS
L'accumulation	L'accumulation consiste en une énumération de mots, de phrases ou de propositions. ***Exemples*** : « Le lait tombe ; adieu veau, vache, cochon, couvée » (La Fontaine, *Fables*, VII, 10) « Je m'en vais vous mander la chose la plus étonnante, la plus surprenante, la plus merveilleuse, la plus miraculeuse... » (Marquise de Sévigné, *Lettres*)	L'accumulation crée un effet de profusion.
La gradation	On reconnaît la gradation à une certaine progression dans les termes d'une énumération. Cette figure ordonne dans l'énoncé des termes de force croissante (ou décroissante), dont le dernier est fréquemment hyperbolique. ***Exemples*** : « Va, cours, vole et nous venge. » (Corneille, *Le Cid*). « C'est un roc !...C'est un pic !... C'est un cap ! Que dis-je, c'est un cap !... C'est une péninsule ! » (Jean Rostand, *Cyrano de Bergerac*, I, 4)	La gradation sert à créer un effet de dramatisation.

PROCÉDÉS	DÉFINITION/EXPLICATION	EFFETS/SENS
LES FIGURES D'ATTÉNUATION ET D'OMISSION **L'euphémisme**	L'euphémisme est une figure qui consiste à atténuer le sens d'un mot trop cru, trop choquant, en le remplaçant par une formulation moins brutale. ***Exemples*** : demandeur d'emploi (chômeur) ; la disparition (la mort). « Mais elle était du monde où les plus belles choses Ont le pire destin, Et rose, elle a vécu ce que vivent les roses l'espace d'un matin. » (Malherbe, « Consolation à Monsieur du Périer, gentilhomme d'Aix, sur la mort de sa fille. », dans *Stances*) « Nous nous en allons Et tôt serons étendus sous la lame » (Ronsard, « Je vous envoie un bouquet », dans *Continuation des Amours*) **Note** : Le vocabulaire sociopolitique, dans le but de s'adapter à la mentalité du jour, est souvent teinté d'euphémismes : malentendant au lieu de sourd, non-voyant au lieu d'aveugle, assurance-emploi au lieu d'assurance-chômage.	L'euphémisme permet d'atténuer une idée déplaisante, de cacher ou de diminuer le caractère violent ou désagréable d'une notion.
La litote	Chère aux écrivains classiques des 17ᵉ et 18ᵉ siècles, la litote est une expression qui consiste à dire moins pour faire attendre plus. Elle joue souvent sur la négation. On peut dire que c'est une antiphrase négative. ***Exemple*** : « Va, je ne te hais point ! » (Chimène avoue son amour à Rodrigue.) (Corneille, *Le Cid*)	La litote donne plus de force à une assertion en paraissant l'atténuer.
L'ellipse	L'ellipse, c'est la suppression de termes qui seraient grammaticalement nécessaires. Seuls subsistent dans l'énoncé les mots chargés de sens. ***Exemple*** : « Heureux qui comme Ulysse a fait un beau voyage. » (Joachim du Bellay, *Regrets*) **Note** : C'est la forme ultime de l'atténuation.	L'ellipse crée un effet à retardement.

LES PROCÉDÉS STYLISTIQUES (suite)

PROCÉDÉS	DÉFINITION/EXPLICATION	EFFETS/SENS
LES FIGURES D'ANALOGIE **La comparaison**	Il s'agit d'une image explicite qui consiste à réunir deux éléments comportant une caractéristique commune, en utilisant un outil comparatif : « comme, pareil à, semblable à, tel, etc. » *Exemple* : « De larges rayons d'ombre tournaient autour des arbres et se refermaient derrière eux, <u>comme les branches d'un éventail aux feuilles de crêpes.</u> » (Henri Troyat, *La neige en deuil*) Il est cependant à noter que l'image surréaliste cherche, au contraire, à rapprocher les éléments les plus inattendus. *Exemple* : « La terre est bleue <u>comme une orange.</u> » (Paul Éluard, *L'amour, la poésie*, VII) L'analyse d'une comparaison vise à montrer comment un terme premier prend un sens différent par le rapprochement avec un autre terme, et à interpréter les effets de ce rapprochement.	La comparaison est une mise en relief d'analogies, de ressemblances, de rapports de supériorité, d'infériorité ou d'équivalence.
La métaphore	La métaphore est une image implicite qui réunit deux éléments sans utiliser d'outil comparatif (comme), sans expliciter leur lien de ressemblance ou d'analogie. *Exemples* : « La puce, un grain de tabac à ressort » (Jules Renard, *Histoires naturelles*) « La nature est un temple... » (Baudelaire, *Correspondances*) Un personnage de Maupassant, dans le récit intitulé « Auprès d'un mort », parle à propos de Schopenhauer de « cet homme [...] <u>mordant et déchirant les idées et les croyances d'une seule parole</u> (métaphore), comme un chien d'un coup de dents déchire les tissus avec lesquels il joue. » (comparaison) Si la métaphore est développée par plusieurs termes (voire un texte entier), on parle de « métaphore filée ». *Exemples* : « Adolphe essaie de cacher l'ennui que lui donne ce <u>torrent</u>	Il s'agit d'une mise en relief insolite de relations analogiques. Cette assimilation du terme comparatif peut créer des images surprenantes et d'une grande densité. La métaphore est la forme la plus condensée de l'image poétique. Établissant une identité entre deux réalités différentes, elle efface les barrières entre des domaines que l'on sépare d'habitude.

PROCÉDÉS	DÉFINITION/EXPLICATION	EFFETS/SENS
La métaphore (suite)	de paroles, qui commence à moitié chemin de son domicile et qui ne trouve pas de mer où se jeter. » (Balzac, *Petites misères de la vie conjugale*) **Exemple d'une triple métaphore filée** : « Ces cheveux d'or sont les liens, Madame, Dont fut premier ma liberté surprise, Amour la flamme autour du cœur éprise Ces yeux le trait qui me transperce l'âme. » (Du Bellay, *L'Olive*, 10) L'analyse de la métaphore s'effectue en repérant le comparé et le comparant, les domaines auxquels ils appartiennent, l'assimilation qui s'opère entre eux et les effets de cette assimilation.	
L'allégorie	L'allégorie est une figure qui consiste à représenter une idée abstraite par une image concrète (par des éléments descriptifs ou narratifs). La plupart du temps, l'allégorie repose sur une personnification. **Exemples** : « Mon beau navire ô ma mémoire Avons-nous assez navigué Dans une onde mauvaise à boire. » (Apollinaire) L'idée abstraite – les errances de la mémoire – est représentée, et donc rendue sensible, par l'image d'un navire à la dérive. « M'apparut tristement l'idole de la France [...] Comme une pauvre femme atteinte de la mort. Son spectre lui pendait, et sa robe semée De fleurs de lis était en cent lieux entamée... » (Ronsard, *Continuation des Misères de ce temps*) **Exemple d'une allégorie de la mort** : « Je vis cette faucheuse. Elle était dans son champ. Elle allait à grands pas, moissonnant et fauchant Noir squelette laissant passer le crépuscule. » (Victor Hugo, « Mors »)	Créatrice d'images, l'allégorie rend perceptibles des notions abstraites, facilite la compréhension et fait appel à l'imagination. Elle a une force de persuasion.

LES PROCÉDÉS STYLISTIQUES (suite)

PROCÉDÉS	DÉFINITION/EXPLICATION	EFFETS/SENS
La person-nification	Cette figure consiste à évoquer ou à décrire un objet ou une idée sous les traits d'un être humain. Un grand nombre des fables de la Fontaine reposent sur ce principe. ***Exemple*** : « La Lison (locomotive), renversée sur les reins, le ventre ouvert, perdait sa vapeur, par les robinets arrachés, les tuyaux crevés, en des souffles qui grondaient, pareils à des râles furieux de géante. » (Émile Zola, *La bête humaine*) Ici, un objet – la locomotive – est représenté sous les traits d'une femme. **Note** : La prosopopée consiste à faire parler une personne morte ou une réalité inanimée. ***Exemple*** : « Vieillard, lui dit la Mort, je ne t'ai point surpris, Tu te plains sans raison de mon impatience : Eh ! N'as-tu pas cent ans ? Trouve-moi dans Paris Deux mortels aussi vieux ; trouve m'en dix en France. » (La Fontaine, *Fables*, VIII, 1)	La personnification rend concrète une notion abstraite.
LES FIGURES DE SUBSTITUTION **La métonymie**	La métonymie est un raccourci d'expression qui permet d'exprimer l'effet par la cause, le contenu par le contenant. Elle remplace un terme par un autre qui est lié au premier par un rapport d'identité. ***Exemple*** : « Le <u>violon</u> était monté à de hautes notes où il restait comme pour une attente. » (le violon : le violoniste) (Marcel Proust, *À la recherche du temps perdu*) La métonymie peut substituer le contenant au contenu (boire un verre) ; le physique au moral (il a du cœur à l'ouvrage) ; l'effet à la cause (Socrate a bu la mort = le poison qui l'a tué) ;	La métonymie crée un effet raccourci qui attire l'attention, frappe, émeut, persuade.

PROCÉDÉS	DÉFINITION/EXPLICATION	EFFETS/SENS
La métonymie (suite)	le symbole à la chose (les lauriers = la gloire) ; l'objet à l'utilisateur (le premier violon = le premier violoniste) ; l'auteur à son œuvre (lire un Zola) ; le lieu à ceux qui s'y trouvent ou au pouvoir qu'ils représentent (le président a été informé directement par le Kremlin), ou encore quand on parle, en politique, de la « Droite » et de la « Gauche » (les côtés droit et gauche de l'Assemblée) pour ceux qui y siègent (les députés).	
La synecdoque	La synecdoque est une variante de la métonymie : la relation entre les deux termes est une relation d'inclusion. Elle permet d'exprimer une réalité par une partie de cette même réalité ou par son extension ; un tout, par une de ses parties, un objet, par sa matière ; et vice-versa. ***Exemples*** : « Je ne regarderai ni l'or du soir qui tombe Ni les voiles au loin descendant vers Harfleur. » (les voiles = les bateaux à voiles) (Victor Hugo, *Les contemplations*) « [...] et la grosse bête, toute surprise arrêta. » (Flaubert, *Un cœur simple*) La « bête » remplace le genre, c'est-à-dire le taureau, par l'espèce, c'est-à-dire la bête. Dans les deux vers suivants, l'astre qui remplace le soleil est encore une synecdoque de l'espèce. « Et l'astre qui tombait de nuages en nuages » (Lamartine) « Et l'astre s'éteignit » (Victor Hugo, *La fin de Satan*)	La synecdoque produit le même effet que la métonymie. Elle a une valeur expressive souvent très riche en littérature.
La périphrase	La périphrase remplace un mot par sa définition. ***Exemples*** : La Venise du Nord (Bruges) La Ville éternelle (Rome) Le siècle des Lumières (18e siècle) « Et l'on crût que Philis était l'astre du jour » (le Soleil) (Vincent Voiture, « La belle matineuse », dans *Poésies*)	La périphrase élève au registre littéraire une expression courante.

LES TONALITÉS

Tout texte possédant des qualités littéraires s'exprime dans une certaine tonalité, un ton d'écriture lié soit à une intention (visée, portée), soit à une catégorie esthétique (selon les genres littéraires). La compréhension d'un texte est donc subordonnée à une perception exacte de sa dominante tonale. C'est l'ensemble des procédés utilisés par l'auteur qui crée le ton du texte.

PROCÉDÉS	DÉFINITION/EXPLICATION	EFFETS/SENS
La tonalité réaliste	Cette tonalité donne l'illusion du réel. ***Exemple*** : « Il se leva derrière la broussaille pluvieuse et les nuages bas d'une plaine déserte. De durs cahots secouèrent la voiture sur une piste écorchée et galeuse, rongée de larges plaques malsaines d'une herbe maigre. » (Julien Graeq, *Le rivage des Syrtes*)	Vocabulaire précis Chronologie Lieux Logique des faits
La tonalité fantastique	Cette tonalité développe un imaginaire extravagant. Le fantastique provoque l'effroi ou le sentiment d'une inquiétante étrangeté. ***Exemple*** : « En face de moi, dans le corridor, se tenait debout, une forme haute et noire – un prêtre, la tricorne sur la tête. La lune l'éclairait tout entier, à l'exception de la figure : je ne voyais que le feu de ses deux prunelles qui me considéraient avec une solennelle fixité. Le souffle de l'autre monde enveloppait ce visiteur, son attitude m'oppressait l'âme. » (Auguste Villiers de l'Isle-Adam, *Contes cruels*)	Images surprenantes Vocabulaire fort Sensation de mystère
La tonalité lyrique	Cette tonalité traduit des sentiments intimes communs à tous les hommes. Le ton lyrique vise à communiquer au lecteur l'exaltation éprouvée par l'auteur, qui parle de lui-même. ***Exemple*** : « Oui, Prince, je languis, je brûle pour Thésée Je l'aime, non point tel que l'ont vu les Enfers, Volage adorateur de mille objets divers, etc. » (Jean Racine, *Phèdre*)	Images Ponctuation forte : interjection, exclamation, apostrophe Rythme s'accordant aux sentiments Manifestation du « je » Figures de style : comparaison, métaphore, allégorie, anaphore Champ lexical de l'affectivité

PROCÉDÉS	DÉFINITION/EXPLICATION	EFFETS/SENS
La tonalité épique	Cette tonalité traduit le dépassement des êtres et des événements. Le ton épique est celui de l'épopée, où les héros sont entraînés dans des événements, le plus souvent historiques, qui les dépassent. ***Exemple*** : « Ils se battent – combat terrible – corps à corps Voilà déjà longtemps que leurs chevaux sont morts ; Ils sont tous deux dans une île du Rhône. Le fleuve à grand bruit roule un flot rapide et jaune, Le vent trempe en sifflant le brin d'herbe dans l'eau, L'archange saint Michel attaquant Apollo Ne ferait pas un choc plus étrange et plus sombre ; Déjà, bien avant l'aube, ils combattaient dans l'ombre. » (Victor Hugo, *La légende des siècles*)	Intervention du merveilleux Images Verbes d'action Rythme Ponctuation forte Figures de style : hyperbole, énumération, accumulation, gradation, métaphore, symbole.
La tonalité tragique	Cette tonalité traduit la gravité du destin qui s'acharne sur l'homme voué au désespoir et à la mort. Le ton tragique provoque une émotion plus contenue que dans le ton pathétique, qui naît du caractère inéluctable d'une issue malheureuse, le plus souvent la mort. ***Exemple*** : « Une voix me dit : Marche ! et l'abîme est profond, Et de flamme ou de sang je le vois rouge au fond ! Cependant, à l'entour de ma course farouche, Tout se brise, tout meurt. Malheur à qui me touche ! » (Victor Hugo, *Hernani*)	Gravité du discours Ampleur des phrases Champ lexical de la mort

LES TONALITÉS (suite)

PROCÉDÉS	DÉFINITION/EXPLICATION	EFFETS/SENS
La tonalité pathétique	Cette tonalité attendrit par l'expression exacerbée des sentiments. Le ton pathétique provoque l'émotion par la description des souffrances humaines. *Exemple* : « Mes yeux se sont séparés de tes yeux Ils perdent leur confiance ils perdent leur lumière Ma bouche s'est séparée de ta bouche Ma bouche s'est séparée du plaisir Et du sens de l'amour et du sens de la vie Mes mains se sont séparées de tes mains Mes mains laissent tout échapper Mes pieds se sont séparés de tes pieds Ils n'avanceront plus il n'y a plus de route Ils ne connaîtront plus mon poids ni le repos. » (Paul Éluard, *Le temps débordé*)	Exaltation Termes forts Changement de rythme Figures de style : exagération, énumé- ration, accumulation. Ponctuation : excla- mation et interjection.
La tonalité comique	Cette tonalité provoque amusement et rire. Le ton comique peut prendre diverses formes : l'humour, la parodie ou encore l'ironie. *Exemple* : Bélize : Veux-tu toute ta vie offenser la grammaire ? Martine : Qui parle d'offenser grand'mère ni grand'père ? Philaminthe : Ô ciel ! Bélize : Grammaire est prise à contresens par toi, Et je t'ai dit d'où vient ce mot. Martine : Ma foi ! Qu'il vienne de Chaillot, d'Auteuil ou de Pontoise Cela ne fait rien. » (Molière, *Les femmes savantes*)	Jeux de mots Registre de langue en décalage Caricature Accumulation Exagération

PROCÉDÉS	DÉFINITION/EXPLICATION	EFFETS/SENS
La tonalité humoristique	Cette tonalité met en évidence le ridicule en exploitant les aspects plaisants et insolites d'une réalité. *Exemple* : « J'ai été professeur, Il y a les savants qui enseignent, Il y a les bons professeurs, Et des tas d'autres : des outres pleines Avec un tout petit trop-plein Qu'ils déversent Un peu au-dessus, Pas trop, De leurs élèves, J'ai rempli l'outre, J'en ai mangé des manuels, Des dictionnaires, Des textes, J'ai fait des résumés, Épucé des bibliographies. » (André Spire, *Pensées d'hier et d'aujourd'hui*)	Petites touches successives Sous-entendus Allusions Jeux de mots Quiproquos
La tonalité parodique	Cette tonalité imite de façon moqueuse quelqu'un ou un sujet sérieux. *Exemple* : « Il était une fois un pays merveilleux où les femmes avaient leur revanche sur les hommes, elles pouvaient enfin devenir maçons, plombiers, ou champions de boxe et laissaient à leurs maris le soin de torcher les enfants et de repriser les chaussette. » (Philippe Dumas et Boris Moissard, *Contes à l'envers*)	Exagérations Décalage entre le fond et la forme
La tonalité ironique	Cette tonalité dénonce l'inacceptable par une raillerie qui consiste à dire le contraire de ce qu'on veut faire entendre. *Exemple* : « Rien n'était si beau, si brillant, si bien ordonné que les deux armées. Les trompettes, les fifres, les hautbois, les tambours, les canons formaient une harmonie telle qu'il n'y en eut jamais en enfer. Les canons renversèrent d'abord à peu près six mille hommes de chaque côté ; ensuite la mousqueterie ôta du meilleur des mondes, environ neuf à dix mille coquins qui en infectaient la surface. » (Voltaire, *Candide*)	Antiphrases Exagération Paradoxe Juxtaposition inattendue

LES TONALITÉS (suite)

PROCÉDÉS	DÉFINITION/EXPLICATION	EFFETS/SENS
La tonalité satirique	Cette tonalité dénonce de façon acerbe. ***Exemple*** : « Je définis la cour un pays où les gens, Tristes, gais, prêts à tout, à tout indifférents, Sont ce qu'il plaît au prince, ou s'ils ne peuvent l'être, Tâchent au moins de le paraître : Peuple caméléon, peuple singe du maître ; On dirait qu'un esprit anime mille corps ; C'est bien là que les gens sont de simples ressorts. » (Jean de La Fontaine, *Fables*, VIII, 14)	Méchanceté Brièveté Termes forts
La tonalité polémique	Cette tonalité soulève le débat et convainc par l'usage d'arguments souvent critiques (attaques).	Tout procédé qui permet de convaincre Discours rationnel et émotif
La tonalité didactique	Cette tonalité instruit en ayant recours à un vocabulaire spécialisé, à une syntaxe et à une composition logiques.	Tout procédé d'argumentation rationnel

DEUXIÈME PARTIE

LES GENRES LITTÉRAIRES

L'analyse d'un texte littéraire doit tenir compte non seulement des procédés d'écriture utilisés, mais aussi du genre littéraire auquel appartient le texte et surtout des procédés rhétoriques propres à chacun. Nous vous présentons donc ici une liste des éléments qu'il convient de connaître ou d'examiner selon que le texte appartient au genre narratif, au genre dramatique ou au genre poétique. Quant aux multiples formes littéraires auxquelles chacun de ces genres ont donné lieu, on pourra en consulter la définition dans le glossaire à la fin de la plaquette.

LE GENRE NARRATIF

Lorsque vous entreprenez l'étude d'un texte narratif tels qu'un roman ou une nouvelle, il ne vous est pas toujours facile de savoir par où commencer et comment procéder. Les quelques notions d'analyse du récit données ici ne sont pas exhaustives, bien sûr. Elles visent d'abord et avant tout à rendre plus aisée et plus fonctionnelle l'approche d'une œuvre que vous vous proposez d'étudier.

COMPOSANTES	DÉFINITION / EXPLICATION
HISTOIRE ET NARRATION	Le récit est composé de deux éléments : l'histoire et la narration. L'**histoire** est ce qui est raconté. La **narration** correspond à la façon dont l'histoire est racontée. Une même histoire peut en effet être narrée de multiples façons. L'écrivain français Raymond Queneau propose un exemple célèbre de ce fait dans ses *Exercices de style*, qui racontent de quatre-vingt-dix-neuf façons différentes la même histoire banale.
L'HISTOIRE **La stucture narrative**	La structure narrative correspond au schéma de base de l'histoire. Elle est définie par les **événements narratifs,** qui sont les événements *qui font avancer l'histoire*. Elle permet de discerner l'essence même de l'histoire et d'observer comment la narration traite les données fondamentales du récit. Si les récits peuvent être construits de toutes les manières imaginables, il est toutefois possible de distinguer une séquence élémentaire, reprise dans un nombre important d'histoires. Cette séquence comprend : • la **situation initiale,** caractérisée par un ordre ambiant, une situation stable en mesure d'être ébranlée ; • l'**élément déclencheur,** qui est ce qui vient mettre fin à l'ordre ambiant (l'arrivée d'un nouveau personnage, un départ, une mission, une catastrophe, etc.) ; • une **série d'événements narratifs,** qui est composée de ruptures, de déséquilibres, de coups de théâtre, de transformations, de conflits. Elle a comme conséquence, par un effet d'accumulation, de faire monter la tension, de mener l'action vers une résolution ; • le **paroxysme,** qui est le moment où la tension est à son maximum ; • le **dénouement,** qui est le moment où la tension et les conflits se résorbent ; • la **situation finale,** qui est l'établissement d'un nouvel ordre. Les récits reprennent cette séquence élémentaire avec une infinité de variations. Il est toujours intéressant de s'y référer afin de percevoir l'originalité de certaines œuvres.

COMPOSANTES	DÉFINITION / EXPLICATION
Les personnages	Les personnages demeurent, bien sûr, le principal centre d'intérêt d'une histoire. Vous pouvez les aborder de différentes façons et débattre longuement de leurs intentions. Cependant, dans une analyse des personnages, il est utile de répondre aux trois questions suivantes. • **Qui sont-ils ?** Pour savoir qui sont les personnages, vous devez recueillir dans le récit toutes les informations données à leur sujet, concernant, par exemple, leur âge, leur statut social, leurs traits de caractère, leur passé, leur famille et leurs amis, leur travail, etc. • **Que veulent-ils ?** Les actions des personnages (surtout celles des personnages principaux) sont motivées par une quête, par des désirs. Cette quête et ces désirs déterminent tout ce qu'entreprennent les personnages et demeurent le moteur même de l'histoire. Des rapports dynamiques doivent être établis entre ce qui s'oppose à cette quête (des ennemis, des forces abstraites, des obstacles matériels, etc.) et ce qui aide un personnage à obtenir ce qu'il veut (des amis, des forces abstraites, des qualités, des armes, la fortune, des objets précieux, etc.). • **Que représentent-ils ?** Derrière les personnages d'une histoire se camouflent bien souvent les intentions de l'auteur. Les personnages d'une histoire sont des êtres de papier dont l'existence est fictive. Pourtant, ils sont intéressants parce qu'ils reflètent ce que sont les êtres humains. Il est important de ne pas traiter le personnage d'une histoire comme un être ayant réellement existé, mais il faut réfléchir sur sa valeur symbolique. Il faut donc observer *quel type d'humains représente le personnage et quel aspect de la condition humaine il révèle.*
Le cadre contextuel	L'intrigue se déroule et les personnages évoluent dans un cadre contextuel précis qu'il faut reconnaître et interpréter.
• le cadre temporel (le temps)	Il s'agit de déterminer le **moment** de l'action (époque, année, saison, mois, semaine, jour, heure, etc.) et sa **durée** (deux ans, un mois, un jour, quelques heures, etc.).

LE GENRE NARRATIF (suite)

COMPOSANTES	DÉFINITION / EXPLICATION
• Le cadre spatial (les lieux)	Il faut aussi reconnaître le cadre spatial de l'histoire et repérer les éléments qui se rapportent à l'espace dramatique (lieux où se déroule l'histoire) : continent, pays, ville, campagne, lieux intérieurs ou extérieurs, pièces closes ou ouvertes, lieux souterrains, etc.
	C'est pourquoi, contrairement au cinéma qui doit toujours placer l'action dans un espace déterminé, le récit ne doit pas nécessairement décrire les lieux où se déroule l'histoire.
	Les indications de lieux sont donc importantes puisqu'elles ne sont jamais innocentes. Lorsque vous étudiez les lieux dans une narration, il est important de suivre les trois étapes ci-dessous :
	• faire l'inventaire des lieux décrits et noter l'itinéraire des personnages ;
	• déterminer la signification symbolique des lieux décrits ;
	• faire le lien entre les personnages et les lieux auxquels ils sont associés (les lieux étant des reflets des personnages).
Les éléments contextuels	Éléments de décor, objets environnants, références à des institutions, à des régimes, à des valeurs morales, sociales ou culturelles, politiques ou économiques, les éléments contextuels sont nombreux et variés dans un récit. Certains dominent, d'autres sont absents. Il faut en faire l'étude et les interpréter. Ils sont révélateurs des axes de signification du récit et agencés de façon cohérente.
	• Le **contexte politique** est présent et dominant lorsque l'action tourne autour de la question du pouvoir et des luttes pour son obtention (dirigeants/dirigés, gouvernants/gouvernés, etc.) ou lorsqu'elle concerne les manifestations du pouvoir à travers ses institutions (civiles, judiciaires, scolaires, etc.). ***Exemple*** : le récit d'un procès mettant en cause la police et la Société de la protection de la jeunesse.
	• Le **contexte social** est représenté par des aspects propres au mode d'organisation des individus : rapports hiérarchiques et détermination des rôles relativement aux classes sociales, aux institutions, à la famille, au travail, à l'appartenance sexuelle des individus, etc.
	• Le **contexte économique** est représenté par des aspects relatifs au mode de production, de distribution et de consommation des biens dans une société (argent, pouvoir d'achat, investissements, inflation, récession, richesse, pauvreté, etc.).
	• Le **contexte culturel** est, pour sa part, exprimé par des aspects relatifs au mode de représentation, moyens d'expression par lesquels un individu ou une collectivité manifeste son rapport au réel (place faite dans l'histoire aux mœurs, aux arts, aux sciences, à la technologie, à la mode, etc.).

COMPOSANTES	DÉFINITION / EXPLICATION
Les éléments contextuels (suite)	• Le **contexte idéologique** est représenté par des aspects relatifs aux croyances, aux valeurs et aux systèmes de pensée dans différents domaines.
	L'analyse de l'intrigue et celle des personnages permettent de dégager un certain nombre d'éléments signifiants sans pour autant vraiment permettre de reconstituer la signification du récit dans un tout cohérent. Si l'analyse du cadre contextuel permet de situer un récit dans un temps et un espace déterminés, c'est la mise à jour des éléments contextuels dominants qui sert à organiser, à structurer et à encadrer la signification de ce récit, le contexte ayant pour principale fonction de renvoyer au réel évoqué par l'histoire, qui en est l'illustration.
LES THÈMES	Le thème (de *thema*, « ce qui est posé ») renvoie au sujet même du texte. Il est une idée qui apparaît dans la narration et qui reflète la vision du monde de l'auteur. Les thèmes portent toujours sur un aspect de la condition humaine : l'amour, la mort, la société, la justice, la connaissance, l'angoisse, le plaisir, etc. Les thèmes peuvent varier énormément d'une œuvre à l'autre, ils peuvent être graves et philosophiques, ou légers et insouciants ; ils sont parfois insistants, parfois subtils, mais ils donnent toujours une couleur, une dimension particulière à l'œuvre. La valeur d'un thème dans une œuvre peut varier. On appelle **thème principal** un thème présent dans l'ensemble d'une œuvre et dont l'importance est majeure. Ce thème principal est souvent lié au message que veut livrer l'auteur, à sa façon d'interpréter le monde. Par sa manière d'aborder le thème, l'auteur doit apporter un regard nouveau, mettre le lecteur en présence de l'inattendu, éviter le cliché. L'habileté avec laquelle l'auteur présente le thème est souvent garante de la qualité de l'œuvre.

Au thème principal viennent se greffer des sous-thèmes (ou thèmes secondaires), qui sont développés dans certains passages de l'œuvre. Les sous-thèmes sont le plus souvent liés au thème principal et permettent de le préciser. Mais il peut aussi arriver qu'ils soient exploités dans des digressions et qu'ils permettent de présenter ainsi une autre facette des préoccupations de l'auteur.

Par exemple, dans un roman comme *Bel-ami*, de Guy de Maupassant, le thème principal est l'arrivisme, incarné par le personnage de *Bel-ami*. Les sous-thèmes peuvent être la séduction, la condition des femmes, le journalisme, la mort, etc. Il va de soi que la perception des thèmes peut changer d'un lecteur à l'autre et que leur identification de même que leur hiérarchisation peuvent donner cours à d'intéressantes discussions. |

LE GENRE NARRATIF (suite)

COMPOSANTES	DÉFINITION / EXPLICATION

LA NARRATION
Le type de narrateur
	Le **narrateur** est *celui qui raconte l'histoire*. Il peut être absent de l'histoire ou participer à cette dernière.
	• Il est **absent** *lorsqu'il n'est pas un personnage de l'histoire*. Le récit est alors écrit à la troisième personne (utilistation du pronom « il »).
	• Il est **présent** *lorsqu'il est un personnage de l'histoire*. Le récit est alors écrit à la première personne (utilisation du pronom « je »). On parle dans ce cas :
	  – de **narrateur-sujet,** si le narrateur est le personnage principal de l'histoire ;
	  – de **narrateur-témoin,** s'il occupe un rôle secondaire, s'il raconte l'histoire de quelqu'un d'autre.

Le point de vue du narrateur (focalisation)	Le **point de vue du narrateur** (ou **focalisation**) correspond à ce que *le narrateur perçoit de l'histoire qu'il raconte*. Sa vision peut être omnisciente, intérieure ou extérieure et neutre. • Sa vision est **omnisciente** *lorsqu'elle est supérieure à celle de chacun des personnages de l'histoire*. Le narrateur omniscient connaît le passé, le présent et même l'avenir des personnages. Il connaît leurs pensées secrètes. Il peut juger leurs pensées et leurs actions, faire des mises au point, intervenir dans l'histoire. • Sa vision est **intérieure** *lorsqu'elle est équivalente à celle d'un seul personnage*. Le narrateur possédant une vision intérieure ne connaît que ce qu'un individu peut connaître, c'est-à-dire son passé, son présent, mais non son avenir ; ses pensées intérieures, ses émotions, mais non celles des autres (à moins qu'elles ne lui soient communiquées ou qu'il ne les devine). • Sa vision est **extérieure et neutre** *lorsque le narrateur en connaît moins que les personnages*. Elle est celle d'un individu qui observe de l'extérieur et qui rend compte objectivement de ce qu'il voit. Elle correspond à ce qui pourrait être vu par l'objectif d'une caméra.
L'organisation temporelle	Toute histoire est située dans une continuité temporelle. Le narrateur doit intervenir dans cette continuité temporelle et la modifier, de manière à rendre le récit efficace. Il peut alors jouer avec la vitesse de narration, intégrer des ruptures temporelles, prendre des libertés quant à la fréquence des événements racontés.

COMPOSANTES	DÉFINITION / EXPLICATION
• la vitesse de narration	La vitesse de narration est établie par le rapport entre le temps de l'histoire (TH) et le temps de la narration (TN). Il existe cinq vitesses de narration : la description, le récit ralenti, l'absence de modification, le récit accéléré et l'ellipse narrative. • Il y a **description** *lorsque l'histoire est interrompue* (TH = 0) afin de permettre au narrateur de décrire un personnage, un objet, un lieu. • Il y a **récit ralenti** *lorsque le temps de narration est plus lent que le temps de l'histoire* (TN > TH). Un narrateur peut ainsi décrire longuement un événement qui se déroule très rapidement. Par exemple, lorsque survient un accident. • Il y a **absence de modification** *lorsque la vitesse de narration correspond à celle de l'histoire* (TN = TH). Par exemple, lorsqu'il y a un dialogue entre des personnages. • Il y a **récit accéléré** *lorsque le temps de la narration est plus court que le temps de l'histoire* (TN < TH). Par exemple, lorsque le narrateur raconte dans un seul paragraphe des événements qui se sont déroulés sur une période de plusieurs années. • Il y a **ellipse narrative** *lorsque la narration omet des événements narratifs* (TN = 0). L'ellipse narrative est souvent marquée par des indications telles que « un an plus tard... », « le mois suivant... », etc.

• les ruptures temporelles	Le narrateur n'est pas tenu de respecter l'ordre chronologique et de raconter une histoire unique. Il doit éviter une narration trop prévisible. S'il veut se libérer d'une unité narrative trop contraignante et de l'ordre chronologique, il a alors recours aux ruptures temporelles suivantes.
	
	• L'**analepse** ou **retour dans le passé,** *qui consiste à interrompre le cours du récit pour raconter des événements passés.*
	
	• La **prolepse** ou **anticipation,** *qui consiste à interrompre le cours du récit pour raconter des événements qui se produiront plus tard.*
	
	• L'**insertion d'une autre histoire,** *qui est l'intégration, à l'histoire principale, d'histoires secondaires liées de près ou de loin à l'histoire principale. Ces insertions se font de trois manières :*
	  – par **enchaînement,** lorsque plusieurs histoires se succèdent ;
	  – par **enchâssement,** lorsque le narrateur interrompt une première histoire pour en insérer une seconde ;
	  – par **alternance,** lorsque le narrateur raconte deux ou plusieurs récits qu'il interrompt régulièrement pour passer de l'un à l'autre.

• la fréquence	La fréquence est déterminée par le rapport entre le nombre de fois qu'un événement se produit et le nombre de fois qu'il est raconté. La fréquence peut prendre trois formes : • le **récit singulier,** *qui raconte une fois ce qui se produit une seule fois* (par exemple, une grande histoire d'amour) ; • le **récit itératif,** *qui raconte une fois ce qui se produit plusieurs fois* (par exemple, la description d'une vie routinière) ; • le **récit répétitif,** *qui raconte plusieurs fois ce qui se produit une fois* (par exemple, plusieurs versions du même événement).

LE GENRE DRAMATIQUE

Le mot théâtre provient d'un mot grec qui signifie « ce qui est regardé ». Quant au mot drame, il signifie, étymologiquement, « action ». Ces deux termes expriment en fait toute l'essence du théâtre : une action, interprétée par des acteurs, sous le regard d'un public. Le vocable art dramatique désigne donc à la fois l'écriture et la représentation théâtrales, et confirme le statut particulier du texte dramatique dans la littérature comme support d'une représentation qui seule peut faire apparaître la signification de l'œuvre dans toute sa plénitude. Pour cette raison, lire le théâtre n'est pas seulement découvrir une « fable » (du latin *fabula*, « récit »), c'est aussi exercer son expérience de spectateur en ne perdant jamais de vue cet élément clé de la communication théâtrale qu'est le public.

COMPOSANTES	DÉFINITION / EXPLICATION
LE TEXTE DRAMATIQUE	Le texte dramatique est composé de deux types d'énonciation bien distincts : d'une part les **didascalies** (indications scéniques) permettant à l'auteur de préciser où, quand, comment et par qui est prononcé le dialogue et, d'autre part, les **dialogues** entre les personnages. Le texte dramatique est donc facile à identifier : des répliques précédées du nom des personnages qui les prononcent. C'est donc un discours qui suppose la présence d'un émetteur et d'un destinataire.
Les didascalies	Le terme didascalie désigne les indications scéniques notées par l'auteur en marge des dialogues. Elles indiquent le décor, ainsi que les attitudes et le ton à adopter par les acteurs. Elles ne font pas, à proprement parler, partie du texte dramatique, celui-ci ne comprenant que ce qui sera finalement dit par les acteurs lors de la représentation. Elles constituent plutôt un « encadrement » important du texte et c'est pourquoi elles sont généralement intégrées dans les versions éditées de la pièce. Au 17e siècle, cependant, le texte imprimé des pièces n'incluait pas les didascalies, ce qui en rend la mise en scène difficile aujourd'hui. En contrepartie, l'absence presque totale de didascalies donne une grande liberté créatrice au metteur en scène contemporain. Par ailleurs, on peut discerner, chez les dramaturges d'après-guerre, la tendance à augmenter l'importance des didascalies. Dans *Les paravents*, de Jean Genet, les didascalies sont presque aussi importantes que les dialogues. Trois raisons peuvent expliquer cette évolution. Tout d'abord, ses pièces sont écrites aussi bien pour être lues que pour être jouées. Ensuite, l'auteur dramatique d'avant-garde ne se satisfait plus de son rôle d'écrivain. Il veut d'une certaine manière assumer en partie la mise en scène de sa pièce.

COMPOSANTES	DÉFINITION / EXPLICATION
Les didascalies (suite)	Enfin, on peut y voir l'influence d'Antonin Artaud et un effet de rééquilibrage entre le texte et les autres éléments du spectacle théâtral. Une pièce aux nombreuses didascalies ressemble, par son écriture, à un scénario de cinéma.
Les dialogues	L'essentiel du texte dramatique est composé de dialogues, c'est-à-dire d'échanges verbaux entre les personnages, et cette composante constitue l'essence même du théâtre puisque c'est par les dialogues que sont exposées les relations entre les différents personnages. Selon le genre et l'époque, ils sont en vers (généralement en alexandrins à rimes plates) ou en prose. Mais le dialogue n'est pas spécifique au théâtre. Dans l'Antiquité, il s'agissait d'un genre autonome : le dialogue philosophique. Mais ce genre n'a rien de commun avec le théâtre, et les dialogues de Platon, par exemple, n'ont aucune finalité scénique. Il s'agit d'une argumentation dialectique sous forme de dialogues et considérée par Platon comme une forme plus vivante que celle du traité. Le genre narratif (roman, conte, nouvelle) contient aussi des passages dialogués sans pour autant cesser d'être narratif. C'est donc dire qu'il y a une spécificité du dialogue théâtral.

• Spécificité du dialogue théâtral

Bien qu'ils puissent aussi exprimer l'harmonie, l'amour ou la complicité des êtres, les dialogues au théâtre sont souvent de nature violente et mettent en évidence l'affrontement de deux volontés où chacune essaie de dominer l'autre : ils peuvent aller jusqu'à représenter une véritable lutte des classes. Cet échange verbal conflictuel peut également prendre la forme de la séduction ou de la tromperie, dévoilant ainsi au spectateur la puissance fascinante de la parole. Le dialogue au théâtre a donc essentiellement pour fonction de dévoiler au public les relations de conflit, de séduction, d'amour ou de complicité entre les personnages, ainsi que le caractère de ces derniers. Par ailleurs, on ne peut véritablement séparer les dialogues des actions, car le dialogue accomplit en lui-même l'acte qu'il décrit : avant même d'envoyer son soufflet, le père de Chimène, dans *Le Cid* de Pierre Corneille, a déjà « giflé » le vieux don Diègue par ses remarques insultantes.

• Différents types de dialogues
– La repartie

Le dialogue entre deux personnages n'est pas nécessairement un échange équilibré et certaines répliques servent surtout de faire-valoir. Samuel Beckett ironise d'ailleurs sur ce type de dialogue dans *Fin de partie*. À Clov qui lui demande : « À quoi est-ce que je sers ? », Hamm répond : « À me donner la réplique. » Mais sans aller jusqu'à un tel déséquilibre, la repartie a souvent pour but d'amener une réplique particulièrement brillante d'un personnage. Dans la tragédie classique, par exemple, ce type de dialogue vise surtout à mettre en valeur le sublime, comme c'est le cas dans ce passage célèbre de l'*Horace* de Corneille où l'on annonce à Horace que l'un de ses trois fils s'est enfui en voyant ses deux frères morts et ses ennemis fondre sur lui. Le père s'estime déshonoré. Lorsqu'on lui demande : « Que vouliez-vous qu'il fît contre trois ? », Horace répond, superbe : « Qu'il mourût. »

LE GENRE DRAMATIQUE (suite)

COMPOSANTES	DÉFINITION / EXPLICATION
Les dialogues (suite)	**– La stichomythie** Ce terme désigne un passage dialogué au rythme extrêmement rapide, où chaque réplique des deux personnages en scène est très courte et est enchaînée à la précédente. Dans une pièce en alexandrins, chaque réplique d'une stichomythie occupe l'espace d'un seul vers, voire d'un seul hémistiche. Moment intense du dialogue, la stichomythie en souligne souvent l'aspect conflictuel. **– Le polylogue** Le polylogue, comme l'indique le préfixe « poly », désigne un dialogue à plusieurs personnages où les voix s'entrecroisent. Selon l'intention de l'auteur, le polylogue peut être harmonieux, ou bien dégénérer en une totale cacophonie. **– La non-communication dans le dialogue** En principe, le dialogue exprime la communication ; chaque interlocuteur, pour répondre à ce qui vient de lui être dit, doit d'abord l'avoir compris. Même si c'est pour se dire des horreurs, les personnages sont dans une situation de compréhension mutuelle. Or, les auteurs dramatiques peuvent exprimer la non-communication dans le dialogue. Dans la comédie, cette non-communication est à base de malentendu, de mauvaise audition, et vise à produire un effet comique. Dans *Ubu roi*, Alfred Jarry fait dialoguer deux personnages grotesques, le père et la mère Ubu. Quand celle-ci parle de « la Vénus de Capoue », le père Ubu lui répond : « Qui dites-vous qui a des poux ? ». Mais, dans le nouveau théâtre ou dans le théâtre de l'absurde, ce genre de dialogue sans compréhension mutuelle exprime une vision tragique de la condition humaine. Ainsi en est-il dans *La cantatrice chauve* d'Eugène Ionesco ou dans *La parodie* d'Arthur Adamov. Dans cette dernière pièce, les dialogues sont des « monologues à deux ». Chaque personnage parle tout seul, tout en croyant s'adresser à un interlocuteur qui ne l'écoute pas. Au lieu d'être une chaîne dont chaque réplique est un maillon, ce « dialogue de sourds » n'est qu'une suite de fragments discontinus, qui illustre la solitude tragique de l'être humain. **– Le monologue** Appelé aussi soliloque, le monologue, au théâtre, est le discours d'un personnage qui est, ou se croit, seul sur scène. C'est donc un discours sans destinataire : le personnage se parle à lui-même, il « pense tout haut ». Le monologue n'a guère de vraisemblance dans la vie réelle. C'est donc un pur artifice théâtral, mais qui se justifie : contrairement au romancier, qui peut sonder les pensées de son personnage, le dramaturge doit tout exprimer par la parole, sans quoi le public n'aurait pas accès à la vie intérieure de ses protagonistes. Conscients de cette invraisemblance, les auteurs dramatiques ont parfois recours à un pseudo-dialogue, où le confident n'est, à la limite, qu'un simple auditeur du discours de l'autre. En l'absence de confident, l'auteur rend le monologue psychologiquement plus crédible en le plaçant à un moment de la pièce où le personnage est sous le coup d'une violente émotion.

COMPOSANTES	DÉFINITION / EXPLICATION
Les dialogues (suite)	Le monologue peut aussi être justifié par l'expression d'une méditation capitale. La relative vraisemblance du monologue méditatif tient à ce que l'esprit, dans ces moments d'intense réflexion, est souvent déchiré, divisé entre diverses possibilités pour régler un problème. **– La tirade** Cas particulier, la tirade est une sorte de monologue dans un dialogue. Il y a tirade lorsque la réplique de l'un des personnages est assez longue et significative pour que l'on ait l'impression d'entendre un monologue. La tirade tend à se suffire à elle-même : elle pourrait être détachée du dialogue sans pour autant perdre sa force ou son autonomie. C'est souvent, du reste, un « morceau de bravoure » dans le dialogue. Beaumarchais, qui est le maître de la tirade, exprime à travers le personnage de Basile, dans *Le barbier de Séville,* son opinion personnelle sur le pouvoir de la médisance. Dans le genre comique, la tirade du nez dans *Cyrano de Bergerac* est célèbre : dans une trentaine de vers, Cyrano énumère toutes les plaisanteries qu'une personne spirituelle pourrait faire sur son appendice nasal. **– L'aparté** L'aparté, comme son nom l'indique, est une réplique dite « à part » des autres personnages, pour que ceux-ci ne l'entendent pas. L'aparté est une rupture de l'illusion dramatique puisque le personnage s'adresse directement au public. Comme le monologue, mais encore plus que lui, l'aparté est une convention destinée à pallier l'impossibilité, pour l'auteur dramatique, de faire entendre les pensées secrètes d'un personnage autrement que par la parole. Il est surtout utilisé dans la comédie, où il marque la duplicité d'un personnage à l'égard d'un autre, qu'il est en train de tromper. **– Le récit** En principe, le théâtre ne devrait pas comporter de récit puisque sa nature est de tout montrer sur scène par la parole ou le spectacle. Toutefois, ce que l'auteur ne peut montrer sur scène, il peut le faire dire par l'un de ses personnages sous forme de récit. Mais, trop long, un récit peut faire tomber la tension dramatique maintenue par les dialogues. Le récit, au théâtre, est justifié par des impératifs à la fois techniques et esthétiques. Il serait difficile, par exemple, de représenter sur une scène de théâtre une grande bataille de mille hommes ; cette scène doit donc être racontée. Le récit décrit au spectateur l'action qui se situe en dehors de la scène, mais aussi en dehors du temps de la pièce. Ce sont alors des récits rétrospectifs qui racontent des événements survenus avant que l'action de la pièce ne commence.
Les ressorts du comique	Le comique repose essentiellement sur un décalage entre ce que l'on attend et ce qui se produit effectivement, et cet écart peut être spectaculaire ou subtil, et se produire à des niveaux différents.

LE GENRE DRAMATIQUE (suite)

COMPOSANTES	DÉFINITION / EXPLICATION
• le comique de situation	Les **lazzi**, exploités par la commedia dell'arte, constituent la forme la plus élémentaire du comique. Jeux de scène qui consistent en coups, bastonnades, cabrioles, pirouettes et mimiques de toutes sortes, le comique de situation peut aussi prendre une forme plus subtile: celle de la cachette ou encore celle du quiproquo qui exploite le malentendu et la méprise.
• le comique de caractère	Le comique de caractère est un procédé qui vise à caricaturer les faiblesses humaines en mettant l'accent sur les contradictions des personnages, entre l'idée qu'ils se font d'eux-mêmes et ce qu'ils sont en réalité, ce qui fait immédiatement apparaître leurs ridicules. Un autre ressort du comique de caractère est l'**automatisme** lié au comportement mécanique et répétitif du personnage et qui lui donne l'aspect d'une marionnette. Il peut s'agir d'un automatisme de **gestes** ou encore d'un automatisme de **paroles;** dans ce dernier cas, les paroles deviennent un leitmotiv qui exprime la nature obsessive du personnage. Les sots de Molière sont reconnaissables à certaines répliques qui résument tout leur caractère.
• le comique de langage	Le procédé du comique de langage est très étendu et peut aller d'un humour grossier à des jeux de mots très subtils. Il se manifeste par : - **L'exagération.** L'une des figures employées est l'hyperbole ou l'exagération qui crée un effet bouffon très certain. - **Les déformations de la langue.** Les accents, fautes de langage, patois, etc., constituent un autre ressort comique des plus sûrs. - **Les jeux de mots.** Les jeux de mots, enfin, sont très souvent privilégiés comme procédé comique. Il en existe de multiples espèces, les uns basés sur l'homonymie (ressemblance phonétique entre certains mots), d'autres sur la double entente (quand un personnage donne à ses paroles un autre sens, souvent licencieux, que le sens ordinaire qu'elles semblent avoir).
ART DE LA REPRÉSEN-TATION	L'œuvre théâtrale ne se réduit pas seulement au texte : elle est destinée à la représentation. En effet, le théâtre est un spectacle total. Même si on peut prendre plaisir à lire une pièce de théâtre et même si certains auteurs se sont exercés à écrire des pièces pour la lecture, le théâtre a toujours été conçu pour être vu comme un spectacle total joué sur la scène. Écrit par un auteur dans le but d'être joué sur une scène par des acteurs, à l'intention d'un public spectateur, le texte théâtral est un élément comparable à une partition musicale. Tout comme une symphonie n'existe qu'au moment où tous les instruments de l'orchestre unissent leurs différentes voix, le théâtre n'existe que lorsque ses différents langages — verbal, sonore et visuel — s'unissent pour créer le spectacle. **Langage verbal** d'abord, celui d'un auteur s'adressant à des spectateurs par l'intermédiaire d'acteurs parlant entre eux grâce aux

COMPOSANTES	DÉFINITION / EXPLICATION
ART DE LA REPRÉSEN- TATION (suite)	dialogues et, indirectement, au public, le théâtre exploite aussi toutes les ressources du **langage sonore** (inflexions de la voix, ton, volume, accent de la déclamation, cris, rires, soupir, gémis- sement, chant, bruitage, etc.) de même que celles du **langage visuel** (présence physique des acteurs sur la scène, façon de se déplacer, expressions faciales et corporelles, gestes ou encore masques, costumes, décor, jeux d'éclairage), chargeant ainsi tout l'espace scénique d'éléments signifiants qui se conjuguent et s'entremêlent pour créer devant le spectateur la magie théâtrale.

LE GENRE POÉTIQUE

La poésie enlève aux mots leur valeur habituelle, crée des images inattendues, joue sur les connotations émotives et exploite jusqu'à l'extrême toutes les ressources du langage. Elle perd donc ce qui est le propre du langage conceptuel, c'est-à-dire sa transparence, pour se rapprocher davantage de la musique et même, plus récemment, des arts visuels. Que ce soit dans une forme codifiée par les rimes, les rythmes, les accents et les mesures, ou par toutes les répétitions organisées par la versification, ou encore dans une forme plus libre, comme celle de la poésie moderne, le langage poétique atteint toujours une dimension magique.

Depuis un siècle environ, une nouvelle conception du poème se fait jour, ce que l'on appelle le « poème libre », en relation avec la notion de vers libres. Le poète invente lui-même la forme qu'il veut donner à son poème. Il ne s'agit pas d'une absence de forme, mais d'un choix déterminé qui convient davantage au souffle propre du poème et à l'idée qui lui a donné naissance. Les poètes contempo- rains recourent quand même à des modèles plus ou moins tradi- tionnels car, si la poésie a connu une véritable révolution, elle ne s'est pas pour autant coupée de ses racines.

LE GENRE POÉTIQUE (suite)

COMPOSANTES	DÉFINITION / EXPLICATION
LA STROPHE	En principe, une strophe présente une cohérence, une unité grammaticale et sémantique ; cette cohérence est renforcée par une structure complète et récurrente de rimes. Elle se reconnaît aux éléments suivants : • **la disposition dans la page** : les strophes sont séparées par des blancs ; • **le groupement des vers** : mètres égaux (isométrie) ou alternance de mètres différents (hétérométrie) ; • **un système complet de rimes** : rimes croisées (abab cdcd) ou embrassées (abba cddc). Toutefois, une suite de rimes suivies ou plates, même sur deux rimes, ne constitue pas un système et ne détermine donc pas une strophe. Ces différentes dispositions peuvent être combinées dans une même strophe. ***Exemple*** : Tu plongerais dans la luzerne (**a**) Ton blanc peignoir, (**b**) Rosant l'air ce bleu qui cerne (**a**) Ton grand œil noir. (Rimbaud) (**b**) Ici, à l'alternance régulière des mètres (8/4 8/4) correspond un croisement des rimes (« luzerne/peignoir, cerne/noir »). Le mot « strophe » désignait à l'origine le tour d'autel effectué par le chœur dans le théâtre grec. Cette marche, cadencée ou dansée, se faisait au rythme du chant que le chœur exécutait et se terminait en même temps que le chant. À la strophe correspondait l'antistrophe, sur le même schéma, qui accompagnait le tour inverse. C'est Pierre de Ronsard qui, au milieu du 16e siècle, introduit le mot dans le vocabulaire de la versification française, en l'appliquant à l'ode, les termes de stances et de couplets étant réservés d'abord à d'autres genres. Puis, le mot prend un sens plus général pour désigner, dans la poésie traditionnelle, des éléments de composition qui forment en quelque sorte une unité immédiatement supérieure au vers. ***EFFET / SENS*** Une strophe constitue généralement une unité de sens autonome, mais il n'en est pas toujours ainsi, puisqu'il est possible que la répétition du premier vers au début de chaque strophe invite à lire des vers comme autant de fragments d'un même récit continu. En effet, lorsqu'une même strophe (ou un même vers) revient régulièrement dans un poème ou une chanson, on parle de refrain. Cette répétition a une valeur musicale, surtout rythmique, mais le refrain peut aussi avoir une valeur sémantique : il dit et redit l'essentiel de la signification du poème.

COMPOSANTES	DÉFINITION / EXPLICATION
La dénomination des strophes	Les strophes portent un nom particulier selon le nombre de vers qu'elles contiennent. Il faut faire attention de ne pas confondre l'appellation des strophes et celle des vers. Ainsi, on appelle : - « monostiche » une strophe d'un seul vers ; - « distique » une strophe de deux vers ; - « tercet » une strophe de trois vers ; - « quatrain » une strophe de quatre vers ; - « quintil » une strophe de cinq vers ; - « sizain » une strophe de six vers ; - « septain » une strophe de sept vers ; - « huitain » une strophe de huit vers ; - « dizain » une strophe de dix vers ; - « douzain » une strophe de douze vers.
LE VERS	Un vers est un énoncé mesuré et rythmé qui s'écrit sur une seule ligne, sans pour autant l'occuper nécessairement tout entière, et qui fait partie d'un ensemble dans lequel il s'intègre de diverses manières, soit par la rime, soit par la nature de la strophe ou par le genre de poème. Dans sa forme classique, tout au moins, le vers a une structure interne reconnaissable par le nombre de syllabes et, pour les vers de plus de huit syllabes, par la présence de la césure, à quoi s'ajoute le rapport des mesures du vers entre elles.
La mesure des vers • la scansion d'un vers	Il faut, pour mesurer un vers, compter les syllabes, une syllabe étant un groupe formé de consonnes et de voyelles prononcé d'une seule et même émission de voix. Pour repérer et comptabiliser le nombre de syllabes, on les sépare graphiquement à l'aide d'un trait oblique : c'est ce que l'on appelle « scander » un vers. Lorsqu'on scande un vers, il faut tenir compte des liaisons. Ainsi, la consonne finale d'un mot qui fait liaison avec le suivant fait partie de la syllabe du mot suivant. ***Exemple*** : De/ long/**s é**/chos 1 2 3 4 Les mètres les plus employés comportent un nombre pair de syllabes, tel cet alexandrin : C'é/tait/ l'heu/re/ tran/quil/le où/ les/ li/ons/ vont/ boire 1 2 3 4 5 6 7 8 9 10 11 12 Le décompte des syllabes peut poser problème dans trois cas précis : le « e » muet, la diphtongue et le hiatus.

LE GENRE POÉTIQUE (suite)

COMPOSANTES	DÉFINITION / EXPLICATION

• la syllabe contenant un « e » muet	**En fin de vers :**
	• on ne compte pas la syllabe contenant un « e » muet.
	   Exemple : boir(e) = une syllabe
	À l'intérieur du vers :
	• on compte une syllabe si le « e » muet se trouve devant une consonne ou un « h » aspiré.
	   Exemples : l'heu/r**e**/ **t**ran/quille
	               u/n**e**/ gran/d**e**/ **h**ai/ne
	
	• on ne la compte pas si le « e » muet se trouve devant une voyelle ou un « h » muet .
	   Exemples : tran/quil/(l**e**) **o**ù/ les/ li/ons
	               vi/lai/n**e** **h**a/bi/tu/de

• la diphtongue (diérèse ou synérèse)	**Diérèse**
	Un mot qui contient deux voyelles consécutives (diphtongue) et que l'on prononce d'une double émission de voix compte pour deux syllabes : on parle alors de diérèse.
	Exemples : li-on, ouvri-er.
	
	Synérèse
	En revanche, lorsqu'un mot qui contient une diphtongue est prononcé en une seule syllabe, on parle de synérèse.
	Exemples : p**ie**d, c**ie**l.
	
	Mais comment savoir si l'on doit prononcer deux voyelles successives en synérèse (en une seule syllabe) ou en diérèse (en deux syllabes) ? Comme les règles à ce sujet sont fort complexes et les exceptions très nombreuses, on suggère de procéder par comparaison avec le décompte syllabique des vers voisins.
	Exemple : La fillette aux vi/o/lettes (7)
	           Équivoque à l'œil cerné, (7)
	           Reste seule après la fête (7)
	           Et baise ses/ vieux/ bouquets (7)
	           (Francis Carco, *Les poèmes retrouvés*)
	
	La fréquence de l'usage tend à faire prononcer en synérèse :
	• **les mots familiers**
	   Exemple : /Oui/, je viens en son temple adorer l'Éternel.
	   (Jean Racine, *Athalie*, I,1)
	
	• **les désinences en « ions » et en « iez »**
	   Exemple : Nous sem/blion/s entre les maisons
	               Onde ouverte de la mer Rouge
	               (Guillaume Apollinaire)
	
	• **le suffixe « ien »**
	   Exemple : Ou/bli/ez-vous déjà que vous êtes chré/**tien** ?
	               (Pierre Corneille)
	
	EFFET / SENS
	La diérèse et la synérèse ont souvent une portée significative, car elles attirent l'attention sur un mot important qui, n'étant plus prononcé comme dans le langage courant, prend une valeur poétique.

COMPOSANTES	DÉFINITION / EXPLICATION
• le hiatus	Le hiatus est la rencontre heurtée de deux voyelles autres que le « e » muet : **• soit à l'intérieur d'un mot** *Exemple* : Dieu, pour vous reposer, dans le désert du temps, Comme des o/a/sis a mis les cimetières. (Théophile Gautier, *La caravane*) **• soit entre deux mots** *Exemple* : Et j'ai/ é/té reçu par l'aube ressemblante (Paul Éluard, *Le grand voyage*) On prononce les deux voyelles formant le hiatus, et chaque voyelle compte pour une syllabe. Il faut toutefois noter que la poésie médiévale tolérait le hiatus, alors que François de Malherbe et le classicisme le proscrivaient absolument, ne l'acceptant qu'à l'intérieur d'un mot ou lorsqu'il était comme estompé par un « e » muet intervocalique (« Troie expira sous vous », Pierre Corneille). L'une des grandes audaces de la poésie romantique fut de briser le tabou du hiatus, et la poésie moderne tend à y redonner son droit (« Il /y a/ aussi un vieux buffet », Francis Jammes).
La dénomination des vers	Le mètre est la mesure donnée par le nombre de syllabes prononcées dans un vers. Il est structuré ou non par la césure, les coupes et les effets rythmiques liés aux accents et aux récurrences phoniques. Cependant, aucune règle ne limite le nombre de syllabes que peut comporter le vers. Toutefois, les vers très longs restent rares. Depuis le 16ᵉ siècle, les vers les plus fréquemment utilisés sont les vers pairs, surtout l'alexandrin et l'octosyllabe. Les vers impairs sont moins fréquents : peu utilisés au 17ᵉ siècle, ils ont tenté les poètes de la fin du 19ᵉ siècle, ainsi que le prône Paul Verlaine dans son *Art poétique* : De la musique avant toute chose (9) Et pour cela préfère l'impair, (9) Plus vague et plus soluble dans l'air, (9) Sans rien en lui qui pèse ou qui pose. (9) La poésie française utilise donc différents mètres qui, selon leur longueur, ne produisent pas le même effet.
• les vers pairs	**De plus de douze syllabes (14, 16, 18 ,20)** Ils sont très rares, mais ils existent. Ainsi, des poètes comme Guillaume Apollinaire et Louis Aragon les utilisent. Dans les exemples suivants, les vers ont seize syllabes. *Exemples* : Je change ici de mètre pour dissiper en moi l'amertume. Les choses sont comme elles sont le détail n'est pas l'important. *EFFET / SENS* Dans ces mètres très longs, la phrase peut s'étendre, et l'écart avec la prose est ainsi diminué.

LE GENRE POÉTIQUE (suite)

COMPOSANTES	DÉFINITION / EXPLICATION
• les vers pairs (suite)	**L'alexandrin** Il s'agit d'un vers de douze syllabes dont la longueur correspond à la longueur moyenne d'une proposition en français, ce qui explique son emploi fréquent dans des genres très différents : récit épique (*Les tragiques*, Agrippa d'Aubigné), théâtre classique (*Phèdre*, Jean Racine) ou romantique (*Hernani*, Victor Hugo), poésie moderne (Arthur Rimbaud, Stéphane Mallarmé, Louis Aragon). Il tire son nom du titre du premier texte poétique écrit en vers de douze syllabes, le *Roman d'Alexandre* (12e siècle). C'est au 17e siècle qu'il connaît sa plus grande fortune. Celle-ci se poursuit jusqu'au 19e siècle, dans la poésie romantique et parnassienne. *Exemple* : Le ciel mit dans mon sein une flamme funeste : (12) La détestable Oenone a conduit tout le reste. (12) Elle a craint qu'Hippolyte, instruit de ma fureur, (12) Ne découvrît un feu qui lui faisait horreur : (12) (Jean Racine, *Phèdre*). **L'hémistiche et la césure** L'alexandrin « classique » comporte deux accents principaux, sur la 6e et sur la 12e syllabe, donc deux hémistiches (moitiés) séparés par une césure (coupe centrale). Toutefois, cette structure a souvent été modifiée, notamment par les romantiques. *Exemple* : [hémistiche] césure [hémistiche] Ô ce cri sur la mer // cette voix dans les bois ! (Paul Verlaine) ***EFFET / SENS*** L'alexandrin permet, par son ampleur, des effets variés. **Le décasyllabe** Il s'agit d'un vers pair de dix syllabes. Antérieur à l'alexandrin, il lui fut longtemps préféré dans les chansons de geste et la littérature médiévale. *Exemple* : Mais/ je/ te/ veux/ di/re u/ne bel/le/ fable, (10) C'est à savoir du lion et du rat. (10) (Clément Marot, *Épîtres*) ***EFFET / SENS*** Ce mètre pair, moins long que l'alexandrin, offre, grâce à la mobilité de la coupe, une grande variété rythmique.

• les vers pairs (suite)

L'octosyllabe

Il s'agit d'un vers pair de huit syllabes.

Exemple : El/le a/ pas/sé/ la/ jeu/ne/ fille,   (8)

Vi/ve et/ pres/sée/ com/me un/ oi/seau .   (8)

(Gérard de Nerval)

EFFET / SENS

Il donne le même effet que le décasyllabe. Sa structure souple autorise son usage pour des sujets très variés.

Aussi est-il particulièrement adapté aux poèmes-chansons.

L'hexamètre

Il s'agit d'un vers pair de six syllabes.

Exemple : Et rose elle a vécu ce que vivent les roses,   (12)

L'es/pa/ce/ d'un/ ma/tin   (6)

(François de Malherbe, *Stances*)

Le quadrisyllabe

Il s'agit d'un vers pair de quatre syllabes.

Exemple : Dans/ l'her/be/ noire   (4)

Les/ Ko/bolds/ vont.   (4)

(Paul Verlaine)

EFFET / SENS

Les vers courts sont utilisés pour créer des effets particuliers (frapper l'attention du lecteur) ou dans des poèmes faisant alterner des vers différents. Ils peuvent servir à :

• mettre un élément en relief ;

• créer un effet de surprise ;

• traduire la fantaisie et la légèreté de la chanson ;

• créer un effet de balancement.

Le dissyllabe

Il s'agit d'un vers court de deux syllabes.

Exemple : C'était dans la nuit brune   (6)

Sur le clocher jauni,   (6)

La/ lune   (2)

Comme un point sur un i.   (6)

(Alfred de Musset, *Poèmes saturniens*)

LE GENRE POÉTIQUE (suite)

COMPOSANTES	DÉFINITION / EXPLICATION

• les vers impairs

L'hendécasyllabe

Il s'agit d'un vers de onze syllabes.

Exemple : Ce/ soir/, je/ m'é/tais/ pen/ché/ sur/ ton/ som/meil (11)
(Paul Verlaine, *Jadis et naguère*)

EFFET / SENS

Les vers de onze et de neuf syllabes sont très rares, et ceux de sept syllabes, assez peu utilisés. Ils doivent leur originalité à leur structure impaire, qui leur donne une plus grande légèreté.

L'ennéasyllabe

Il s'agit d'un vers de neuf syllabes.

Exemple : De la musique avant toute chose	(9)
Et pour cela préfère l'impair,	(9)
Plus vague et plus soluble dans l'air,	(9)
Sans rien en lui qui pèse ou qui pose.	(9)
(Paul Verlaine, *L'art poétique*)	

L'heptasyllabe

Il s'agit d'un vers de sept syllabes.

Exemple : Le/ pe/tit/ en/fant/ A/mour	(7)
Cueil/lait/ des/ fleur/s à/ l'en/tour.	(7)
(Pierre de Ronsard, *Odes*)	

Le pentasyllabe

Il s'agit d'un vers de cinq syllabes.

Exemple : U/ne au/be af/fai/blie	(5)
Ver/se/ par/ les/ champs	(5)
La/ mé/lan/co/lie	(5)
Des/ so/leils/ cou/chants.	(5)
(Paul Verlaine, *Poèmes saturniens*)	

Le trisyllabe

Il s'agit d'un vers de trois syllabes.

Exemple : Je me souviens	(4)
Des jours anciens	(4)
Et/ je/ pleure.	(3)
(Paul Verlaine, *Poèmes saturniens*)	

Le monosyllabe

Il s'agit d'un vers d'une syllabe.

Exemple : On voit des commis	(5)
/Mis/	(1)
Comme des princes.	(4)
(Victor Hugo)	

COMPOSANTES	DÉFINITION / EXPLICATION
Les effets de changement de mètre	Les poètes emploient souvent plusieurs mètres dans un même poème. Ce changement de mètre produit plusieurs effets, selon qu'il est régulier ou irrégulier.
• la variété	L'emploi d'un octosyllabe entre deux alexandrins, par exemple, peut favoriser l'introduction d'une circonstance particulière du récit, qui échappe ainsi à la monotonie. ***Exemple*** : Un jour, sur ses longs pieds, allait, je ne sais où, (12) Le Héron au long bec emmanché d'un long cou. (12) Il côtoyait une rivière. (8) L'onde était transparente ainsi qu'aux plus beaux jours. (12) (Jean de La Fontaine)
• la rupture	Dans l'exemple suivant, le vers de trois syllabes qui succède à deux alexandrins crée une rupture rythmique, et donc une surprise... du langage. ***Exemple*** : Je peux me consumer de tout l'enfer du monde (12) Jamais je ne perdrai cet émerveillement (12) Du langage. (3) (Louis Aragon)
• l'effet d'amplifi-cation	Ici, le glissement vers des mètres plus longs amplifie la cascade des images que le poète associe aux yeux des « belles ». ***Exemple*** : Si belles soyez-vous (6) Avec vos yeux de lacs et de lacs et de flammes (12) Avec vos yeux de pièges à loup (8) Avec vos yeux couleur de nuit de jour d'aube et de marjolaine. (16) (Louis Aragon)
• le balancement	L'alternance régulière d'alexandrins et de pentasyllabes (cinq syllabes) crée, dans l'exemple suivant, un balancement rythmique évocateur des ondulations de la musique et de la mer. ***Exemple*** : La musique souvent me prend comme une mer ! (12) Vers ma pâle étoile ; (5) Sous un plafond de brume ou dans un vaste éther (12) Je mets à la voile. (5) (Charles Baudelaire)

LE GENRE POÉTIQUE (suite)

COMPOSANTES	DÉFINITION / EXPLICATION
LE RYTHME	La poésie, mode d'expression intermédiaire entre la prose et la musique, possède, comme cette dernière, un rythme et une harmonie. Le rythme poétique résulte du mètre, c'est-à-dire de la longueur des vers comptée en syllabes, de la rime, des coupes et de l'alternance des temps forts et des temps faibles. Étant une composante musicale de la langue, autant dans la prose que dans la poésie, il permet de souligner certains mots, d'établir des correspondances de sens et de sons entre les termes mis en relief. Dans la vie quotidienne, les messages publicitaires utilisent fréquemment les différentes possibilités du rythme. En prose et en poésie, le rythme est marqué par le retour des accents toniques placés sur la dernière syllabe tonique d'un mot ou d'un groupe de mots formant une unité grammaticale. Se constituent ainsi des groupes rythmiques, délimités par des coupes et, lorsque le rythme est binaire, par une forte pause centrale appelée césure. Le rythme d'un vers provient de deux facteurs : l'accent rythmique et les pauses respiratoires que sont la coupe et la césure. La majorité des vers ont en principe une unité de sens, et le rythme s'accorde dans ce cas avec la syntaxe ; les coupes correspondent alors à des groupes de mots ou à des groupes grammaticaux. Mais il arrive aussi qu'un vers n'ait pas à lui seul un sens complet et qu'il soit étroitement dépendant des vers qui le précèdent ou qui le suivent. C'est l'enjambement. Il y a le rythme à l'intérieur d'un seul vers et le rythme s'étalant sur plusieurs vers.
À l'intérieur d'un seul vers • les règles d'accentuation rythmique	• Quand un mot se termine par une syllabe qui comporte un « e » muet, l'accent tonique porte sur l'avant-dernière syllabe. Ces mots sont appelés « mots à terminaison féminine ». *Exemples* : orage, tempête. • Dans les autres cas, l'accent tonique porte sur la dernière syllabe. Ces mots sont appelés « mots à terminaison masculine ». *Exemples* : jardin, maison. C'est le retour des accents toniques qui crée le rythme : on place ces accents sur la dernière syllabe tonique d'un mot ou d'un groupe de mots qui forme une unité grammaticale. *Exemple* : Juste ciel ! Tout mon sang dans mes veines se glace. (Jean Racine) Ce vers comporte quatre accents, donc quatre groupes rythmiques (ou mesures) délimités par quatre coupes.
• la place des coupes	La coupe (/) se place immédiatement après la syllabe accentuée. • On appelle césure (//) la coupe qui partage un alexandrin en deux hémistiches (moitiés) de six syllabes. • Quand le mot se termine par une syllabe non accentuée, la coupe sépare cette dernière du reste du mot. *Exemple* : Le navi/re glissant // sur les gouf/fres amers. (Charles Baudelaire, *Les fleurs du mal*)

COMPOSANTES	DÉFINITION / EXPLICATION
• le compte syllabique	Mesurer le rythme, c'est calculer le nombre de syllabes contenues dans chaque mesure. **Note** : Quand la dernière syllabe est non accentuée, donc séparée du reste du mot par la coupe, on la compte avec la mesure suivant cette coupe. **Exemples** : Le pré/ est vénéneux // mais joli/ en automne. 2 / 4 // 3 / 3 (Apollinaire) Je te por/te dans moi // comme un oiseau blessé. 3 / 3 // 6 (Louis Aragon)

Sur plusieurs vers	Dans les rapports de longueur entre la phrase et le vers, deux cas sont possibles.
	• La phrase a la même longueur que le vers.
	    Exemple : Il marcha trente jours, il marcha trente nuits.
	    (Victor Hugo)
	• La phrase n'a pas la même longueur que le vers. Dans ce cas, on distingue différents procédés rythmique[s.]

• l'enjam-bement	On parle d'enjambement lorsque la phrase ne s'arrête pas à la rime, mais déborde jusqu'à la césure ou à la fin du vers suivant.
	Exemple : Nous avons aperçu les grands ongles marqués
	    Par les loups voyageurs que nous avions traqués.
	    (Alfred de Vigny)
	
	EFFET / SENS
	L'enjambement traduit souvent un mouvement qui se développe, une durée qui se prolonge, un sentiment qui s'amplifie.

• le rejet	On parle de rejet lorsqu'un élément court de la phrase (en général pas plus de deux mots) est rejeté au vers suivant.
	Exemple : Même il m'est arrivé quelques fois de manger
	    Le berger.
	    (Jean de La Fontaine)
	
	EFFET / SENS
	Le rejet permet la mise en relief d'un mot clé.

• le contre-rejet	On parle de contre-rejet lorsqu'un élément court amorce, à la fin d'un vers, la phrase qui se développe dans le vers suivant.
	Exemple : Souvenir, souvenir, que me veux-tu ? L'automne
	    Faisait voler la grive à travers l'air atone.
	    (Paul Verlaine)
	
	EFFET / SENS
	Le contre-rejet crée, tout comme le rejet, une rupture rythmique qui met particulièrement en relief un élément de la phrase et du sens.

LE GENRE POÉTIQUE (suite)

COMPOSANTES	DÉFINITION / EXPLICATION
Les sortes de rythme	Des vers au rythme identique peuvent être mis en parallèle, alors que toute rupture du rythme attendu a un effet de mise en valeur. La poésie moderne joue beaucoup sur les contrastes de rythme.
• le rythme binaire	Le vers ou les deux moitiés du vers sont divisés en deux (6-6 ou 3-3-3-3). Le tétramètre est un alexandrin à quatre accents. ***Exemple*** : Son regard/ est pareil // au regard/ des statues. 　　　　　　3 /　　3　 //　　3　 /　　3 (Paul Verlaine) ***EFFET / SENS*** Le rythme binaire suggère l'équilibre, le parallélisme, et favorise l'opposition.
• le rythme ternaire	Le vers est divisé en trois mesures sensiblement égales. Le trimètre, caractéristique de la poésie romantique, est un vers qui comporte trois accents, donc trois mesures. ***Exemple*** : Je marcherai/ les yeux fixés/ sur mes pensées. 　　　　　　4 /　　　4　　 /　　　4 (Victor Hugo) Dans cet exemple, le retour de l'accent suggère le mouvement régulier de la marche ou un sentiment qui dure (par exemple, l'ennui). ***EFFET / SENS*** Le rythme ternaire suggère la régularité ou la durée. Le passage d'un rythme binaire à un rythme ternaire traduit souvent un changement dans les faits ou dans les sentiments.
Les schémas rythmiques	Les mesures du vers sont identiques.　　(3 + 3)　　(3 + 3) 　　　　　　　　　　　　　　　　　　　　6　　　　　6
• le rythme croissant	Les mesures du vers sont de plus en plus longues. ***Exemple*** : Ainsi/ de peu à peu/ crût l'Empire romain. 　　　　　　2 /　　　4　 /　　　　6 (Joachim Du Bellay)
• le rythme décroissant	Les mesures du vers sont de plus en plus courtes (6-4-2). ***EFFET / SENS*** Les rythmes croissant et décroissant évoquent souvent un mouvement ou un sentiment qui s'amplifie, dans le premier cas, ou qui s'atténue, dans le second cas.

COMPOSANTES	DÉFINITION / EXPLICATION
• le rythme accumulé	Le nombre d'accents toniques est supérieur à la moyenne (supérieur à quatre pour un alexandrin). ***Exemple*** : Le lait tom/be : adieu/ veau,/ va/che, cochon,/ couvée 3 / 3 / 1 / 1/ 3 / 2 (Jean de La Fontaine) ***EFFET / SENS*** Ce rythme traduit souvent l'accumulation, la succession, un mouvement désordonné, ou encore l'intensité d'un sentiment.
• le rythme symétrique	La symétrie se présente comme un chiasme (3-2-2-3).
LES RIMES	La rime constitue un cas particulier d'écho sonore fondé sur l'identité, entre deux ou plusieurs mots situés en principe en fin de vers, de leur voyelle finale accentuée ainsi que des phonèmes qui éventuellement la suivent. Les voyelles en amont peuvent aussi entrer dans la rime et l'enrichir. ***Exemples*** : riv**age** / or**age** ; am**our** / cont**our** ; mé**moire** / grim**moire.** En général, la rime se trouve en fin de vers et, occasionnellement, à la césure ; dans la poésie chinoise, elle marque le début du vers, et certains poètes français, comme ceux que l'on a nommés les grands rhétoriqueurs, ou encore des poètes modernes comme Louis Aragon, ont tenté de faire déborder la rime sur les premières syllabes du vers suivant. Bien que son usage ne soit pas obligatoire et exclusif en matière poétique (on sait, par exemple, qu'on ne la retrouve, dans la poésie grecque ou latine, que de manière exceptionnelle, et qu'elle est fortement contestée depuis le 19e siècle), la rime n'a pas pour autant disparu de la poésie française : elle reste un des éléments caractéristiques de la poésie régulière et est aussi souvent présente dans la poésie libre.
L'assonance et la rime	Avant la rime, l'assonance a été, entre le 4e et le 8e siècle, le premier système de liaison entre les vers. Elle repose sur l'identité phonétique de la voyelle finale accentuée, mais non des phonèmes qui la suivent. ***Exemples :*** f**i**lle / am**i** ; r**u**de / br**u**t. Les poèmes les plus anciens en langue vulgaire, tels que *Séquence de sainte Eulalie* (fin du 10e siècle), *Vie de saint Léger* (11e siècle)

LE GENRE POÉTIQUE (suite)

COMPOSANTES	DÉFINITION / EXPLICATION
L'assonance et la rime (suite)	et les premières chansons de geste, étaient assonancés. Le recours à l'assonance reste prédominant dans la poésie médiévale (11e-13e siècle), où elle assure la continuité des laisses de quatre à trente vers, chacune étant caractérisée par une même voyelle répétée en assonance, qui changeait à la laisse suivante, accompagnée d'un changement dans la narration. On retrouve encore aujourd'hui l'assonance dans le vers moderne, mêlée aussi à d'autres sortes d'homophonies finales, ainsi qu'on peut le voir dans certains quintils de « La chanson du mal-aimé » de Guillaume Apollinaire, tirée de son œuvre *Alcools*. Un soir de demi-brume à Lo**n**dres Un voyou qui ressemblait **à** Mon amour vint à ma renc**on**tre Et le regard qu'il me jet**a** Me fit baisser les yeux de h**on**te La rime, elle, est apparue au 12e siècle. ***EFFET / SENS*** Ce retour à la fin du vers d'une sonorité déjà entendue agit comme un accord musical qui souligne le rythme et qui joue un rôle de structuration aussi bien du vers que de l'ensemble du poème dans le cas des poèmes à forme fixe. La rime joue également un rôle associatif puisqu'elle souligne la structure sémantique du poème par des répétitions sonores qui permettent de rapprocher des mots autrement étrangers. Il est fréquent, en effet, que les mots clés d'un poème se trouvent à la rime. L'effet de ces rapprochements est d'autant plus fort que les deux mots ainsi mis en présence sont différents : ni opposés, ni synonymes, ni associés dans des clichés, mais tels que leur contact est une surprise.

L'évaluation de la rime
 	
• la disposition des rimes
	La disposition détermine les possibilités de structuration verticale de la rime. Elle repose sur un principe d'alternance des rimes masculines et féminines, et d'un schéma sonore récurrent, le plus souvent en fin de vers, mais parfois rencontré aussi à la césure ou en début de vers.
	   Ce phénomène apparaît très tôt, dès les 12e et 13e siècles, prend près de trois siècles à se stabiliser et est respecté jusqu'au milieu du 19e siècle.
	   Toutefois, à partir de l'époque du symbolisme, l'alternance se fait rare, d'autant plus que le recours à la rime devient irrégulier et que celle-ci est parfois remplacée ou redoublée par une alternance de rimes consonantiques (terminées par un phonème consonantique) ou de rimes vocaliques (terminées par un phonème vocalique).
	
	On parle de **rime féminine** quand la terminaison du vers est une voyelle ou un « e » muet.
	Exemples : pun**i** / oubl**i** ; volag**e** / rivag**e**

COMPOSANTES	DÉFINITION / EXPLICATION

• la disposition des rimes (suite)

On parle de **rime masculine** quand la terminaison du vers est un phonème consonantique (une syllabe qui se prononce).
Exemple : ren**ard** / t**ard**

Les modes de combinaison les plus fréquents sont les suivants.

• La **rime suivie** (ou **plate**) forme une suite ouverte de type aa, bb, cc et ainsi de suite. Comme elle ne délimite pas une structure récurrente, on la trouve surtout dans les genres suivis comme le théâtre en vers (exception faite des passages en stances), les épîtres et certains longs poèmes lyriques, didactiques ou épiques.

Exemple :
Le jour que je fus né, le Démon qui prés**ide**   a
Aux Muses me servit en ce Monde de gu**ide**,   a
M'anima d'un esprit gaillard et vig**oureux,**   b
Et me fit de science et d'honneur am**oureux.**   b
(Pierre de Ronsard, *Nouvelles poésies*)

• La **rime croisée** (ou **alternée**), de type abab cdcd, etc., forme sur deux rimes une structure de répétition et d'entrecroisement : alternance entre a et b, mais aussi reprise du groupe abab.

Exemple :
Un soldat jeune, bouche ouverte, tête **nue,**   a
Et la nuque baignant dans le frais cresson b**leu**   b
Dort ; il est étendu dans l'herbe, sous la **nue,**   a
Pâle dans son lit vert où la lumière p**leut.**   b
(Arthur Rimbaud, *Le dormeur du val*)

• La **rime embrassée** de type abba cddc, sur le même couple de base ab, produit un chiasme, abba :

Exemple :
Tu demandes pourquoi j'ai tant de rage au **cœur**   a
Et sur un col flexible une tête indompt**ée** ;   b
C'est que je suis issu de la race d'Atr**ée,**   b
Je retourne les dards contre le dieu vain**queur.**   a
(Gérard de Nerval)

• La **rime redoublée** est une même rime dont le son se répète plus de deux fois : aaab.

Exemple :
Non point chargé d'eau, tu n'as pas désalt**éré**   a
Des gens au désert : tu vas sans but, igno**ré**   a
Du pôle, ignorant le méridien do**ré**   a
Et ne passes point sur les palmes et les baumes.   b
(Victor Segalen, *Vents des royaumes*)

• On parle de **rime intérieure** lorsqu'un mot placé à l'intérieur d'un vers rime avec le mot placé à la fin de ce même vers.

LE GENRE POÉTIQUE (suite)

COMPOSANTES	DÉFINITION / EXPLICATION
• la qualité de la rime	C'est au milieu du 16e siècle que Joachim Du Bellay réagit contre l'exagération des grands rhétoriqueurs, chez qui la prouesse verbale constitue trop souvent une fin en soi. Il continue de privilégier le travail sur la rime à condition qu'il soit sans dommage pour le sens, et est suivi en cela par François de Malherbe, qui préconise l'exactitude phonique contre les excès de la recherche. Différentes règles sont alors mises au point pour limiter cette liberté et assurer la qualité de la rime (c'est-à-dire sa pureté et sa richesse) tout en la subordonnant au sens. Elles sont respectées pendant plusieurs siècles, fortement imposées chez les classiques, puis contestées à partir des symbolistes. Aujourd'hui, ces règles ne se confondent plus avec la notion de poésie.

• La **pureté** est une exigence liée au désir classique de rimes qui satisfont aussi bien l'oreille que l'œil.
Les règles liées à la pureté concernent ainsi tant la prononciation que l'orthographe. Pour évaluer la pureté de la rime, on doit donc distinguer la « rime pour l'oreille » et la « rime pour l'œil », la dernière étant la plus pure.

– La rime pour l'oreille est fondée sur l'homophonie, c'est-à-dire sur la reprise de sons identiques.
 Exemple : b**ière** / p**ierre**

– La rime pour l'œil est fondée non seulement sur l'homophonie, mais également sur l'homographie, c'est-à-dire sur une écriture identique des sons.
 Exemples : b**ière** / pr**ière**
 ma**ître** / dispar**aître**

• La **richesse** de la rime se mesure traditionnellement au nombre de phonèmes communs. On distingue ainsi :

– la rime pauvre, qui comporte une seule homophonie (un seul phonème commun = la voyelle accentuée) ;
 Exemple : souver**ain** / m**ain**

– la rime suffisante, qui porte sur deux homophonies (deux phonèmes communs) ;
 Exemples : r**êve** / ach**ève** ; trou**va** / **va**

– la rime riche, qui est fondée sur trois homophonies (trois phonèmes communs) et plus.
 Exemples : ha**sard** / bi**zarre** ; **astre** / dés**astre**

Certaines rimes sont d'une telle richesse qu'elles tournent au calembour. Par exemple, Clément Marot, un poète du 16e siècle, fait rimer le verbe rimasser (faire de mauvais vers) avec le nom d'un inconnu, Henri Macé.

COMPOSANTES	DÉFINITION / EXPLICATION
• la qualité de la rime (suite)	• Le **refus de la facilité** dans le choix des rimes a pour but de valoriser la richesse de la rime. En effet, depuis le 17e siècle, il est préférable de ne pas faire rimer : – des mots de même catégorie grammaticale ; *Exemples* : deux adverbes : calmement / lourdement deux verbes : sortir / partir – un mot simple avec son composé ; *Exemples* : manteau / portemanteau ; danse / contredanse – des mots qui se joignent instinctivement (clichés ou oppositions faciles). *Exemples* : amours / toujours ; montagne / campagne
Les procédés d'enrichisse-ment de la rime	On considère généralement que la rime est plus réussie si elle unit des mots très dissemblables. La règle classique veut que la fin du vers coïncide avec une syllabe accentuée qui correspond à une articulation grammaticale (fin de proposition ou de groupe syntaxique) : elle impose donc à la rime certains types de mots (noms, adjectifs, verbes, pronoms à la forme tonique et la plupart des adverbes) et en exclut tous les mots non accentués. Les romantiques oseront, en fin de vers, séparer l'épithète du nom mais, du moins dans la grande poésie lyrique, il faudra attendre Arthur Rimbaud et *Le dormeur du val* pour voir un mot-outil à la rime. *Exemple* : Les pieds dans les glaïeuls, il dort. Souriant **comme** Sourirait un enfant malade, il fait un **somme.** (Arthur Rimbaud)

• en fin de vers	• La **rime léonine** : l'homophonie s'étend sur deux syllabes, ou plutôt englobe deux voyelles prononcées. On la trouve dans la poésie classique.
	Exemple : Je pressai son exil, et mes cris é**ternels**
	           L'arrachèrent du sein et des bras pa**ternels.**
	           (Jean Racine, *Phèdre*)
	
	• La **rime équivoquée** : elle peut se présenter de deux manières, soit fondée sur l'homophonie entre deux vocables de sens différents (nuit, nom / nuit, verbe), soit sous la forme d'un calembour lorsqu'elle englobe plusieurs mots.
	Exemple : Sur moi ne faut telle rigueur **étendre,**
	           Car de pécune un peu ma bourse **est tendre.**
	           (Clément Marot)
	
	• Les **vers holorimes** : le phénomène d'homophonie s'étend sur le vers entier, donc, à l'oreille, on a l'impression de deux vers semblables.
	Exemple : Par le bois du Djinn, où s'entasse de l'effroi.
	           Parle, bois du gin ou cent tasses de lait froid.
	           (Alphonse Allais)

LE GENRE POÉTIQUE (suite)

COMPOSANTES	DÉFINITION / EXPLICATION
• en fin de vers (suite)	• La **rime couronnée** et la **rime emperière** : la syllabe de rime est redoublée (rime couronnée) ou triplée (rime emperière). *Exemple* : Ô Mort très ra**bice bice**, Tu n'es pas ge**nice nice**, Mais de deuil nour**rice rice**. (Jean Molinet)
• à l'intérieur du vers	• Le **vers léonin** : les deux hémistiches riment ensemble. *Exemple* : Ô temps per**du**, ô peine dépen**due** ! (Louise Labé) • La **rime batelée** : la fin du vers rime avec le mot qui est à la césure du vers suivant. *Exemple* : Comme on voit sur la branche, au mois de mai, la rose [...] Rendre le ciel jaloux de sa vive cou**leur**, Quand l'aube de ses p**leurs** // au point du jour l'arrose. (Pierre de Ronsard, *Sur la mort de Marie*) • La **rime brisée** : les vers riment non seulement par la fin, mais aussi par la césure. *Exemple* : Après ma m**ort**, // je te ferai la gu**erre**, Et quand mon c**orps** // sera remis en t**erre** J'en soufflerai la cendre sur les yeux. (Germain-Colain Bucher) On trouve souvent ce procédé dans la poésie romantique. • La **rime senée** : cas extrême d'allitération où tous les mots commencent par la même lettre. On appelle aussi ce type de vers « vers tautogramme ». Jean Molinet a composé une oraison à Marie entièrement fondée sur l'utilisation de rimes senées. *Exemple* : **M**arie, **m**ère **m**erveilleuse, [...] **A**rdant **a**mour, **a**rche **a**ornée [...] **R**ubis, **r**aiant, **r**ose **r**amée [...] (Jean Molinet) On parle aussi de « rime senée » au sens large lorsqu'il y a identité des phonèmes initiaux de deux vers successifs. *Exemple* : De là naissent ces sympathies Aux impérieuses douceurs, **Par** qui les âmes averties **Par**tout se reconnaissent sœurs. (Théophile Gautier)

COMPOSANTES	DÉFINITION / EXPLICATION
• débordant sur le vers suivant	• La **rime annexée** : la dernière syllabe de la rime est reprise au début du vers suivant. *Exemple* : Plaisir n'ai plus, mais vis en décon**fort**. **Fort**une m'a remis en grand dou**leur** : **L'heur** que j'avais est tourné en **malheur** **Malheur**eux est, qui n'a aucun confort. (Clément Marot) • La **rime fratrisée** : elle est à la fois annexée et fondée sur un calembour, comme pour la rime équivoquée. *Exemple* : Cour est un périlleux **passage** **Pas sage** qu'est qui va en Cour. (Jehan Tabourot) • La **rime enchaînée** : elle est à la fois annexée et dérivative. *Exemple* : Maint ennemi se rend notre hôte, Combien que Gennes dans sa **côte** **Côt**oie un périlleux fatras [...] (Clément Marot)
L'étude des rimes dans un poème	Étudier les rimes, c'est observer, analyser et interpréter leur disposition, leur pureté, leur richesse en relation avec le propos, mais c'est aussi analyser et interpréter le rapport de sens qui existe entre les mots qui riment. Parfois, ce rapport est simple (les mots à la rime sont voisins par le sens ou, au contraire, s'opposent), mais il peut souvent être plus complexe. *Exemple* : Temps jaloux, se peut-il que ces moments d'ivr**esse,** a Où l'amour à longs flots nous verse le bon**heur,** b S'envolent loin de nous de la même vit**esse** a Que les jours de mal**heur** ! b (Alphonse de Lamartine) Ici, les mots « ivresse » et « vitesse » sont associés par la rime et par le sens. En revanche, les mots « bonheur » et « malheur », associés par la rime, sont opposés par le sens.

LE GENRE POÉTIQUE (suite)

COMPOSANTES	DÉFINITION / EXPLICATION
LES SONORITÉS	Les éléments sonores qui composent la langue s'appellent des phonèmes. Par exemple, le mot « lourd » comporte trois phonèmes que l'on écrit ainsi dans l'alphabet phonétique (on peut le trouver au début des dictionnaires de langue) : [l] [u] [ʀ]. Il ne faut pas confondre les signes de l'alphabet orthographique avec ceux de l'alphabet phonétique. Ainsi, le phonème [u] s'écrit sous la forme d'une association de deux lettres, « ou » ; le phonème nasalisé [õ] peut s'écrire « on », « om », « ont », etc. Dans le langage courant, la relation entre le son produit par un énoncé et le sens de celui-ci est le plus souvent arbitraire. Pourtant, dans certains cas, il existe une relation par imitation phonétique entre les sons d'un énoncé et la chose qu'évoque ce dernier.
Les types de sonorités • l'onoma- topée	On parle d'onomatopée lorsque les sons d'un mot suggèrent le bruit produit par la chose que dénomme ce mot : le « tic-tac » de la pendule, le « vrombissement » d'un moteur, le « coucou » de l'oiseau, etc. Les onomatopées sont caractéristiques du langage de la bande dessinée. ***Exemples*** : « Psst ! », « Grrrrr... ! », etc.

• l'harmonie
   imitative
	On parle d'harmonie imitative lorsque la répétition des sons dans un énoncé suggère un bruit particulier. Les messages publicitaires utilisent parfois ce procédé.
	Exemple : Tic, tac, toc, t'as le ticket chic, t'as le ticket choc
	          (publicité dans le métro parisien)

• l'assonance	On appelle assonance la répétition d'un même son vocalique ou de sons vocaliques voisins ; par exemple, [a] et [wa] dans un énoncé en vers ou en prose. ***Exemple*** : Tout m'afflige et me nuit et conspire à me nuire (assonance en [i] dans ce vers de Jean Racine)
• l'allitération	On appelle allitération la répétition d'un même son consonantique ou de sons consonantiques voisins, par exemple [t] et [d], ou même d'un groupe de consonnes dans un énoncé en vers ou en prose. ***Exemple*** : Les souffles de la nuit flottaient sur Calgala (allitération en [l] et en [fl] dans ce vers de Victor Hugo)

COMPOSANTES	DÉFINITION / EXPLICATION

L'étude des sonorités dans un texte

- Lire attentivement le texte afin de repérer les assonances et les allitérations principales.
- Regrouper les mots comportant les mêmes phonèmes.
- Étudier les relations de sens qui existent entre ces mots. Les mots mis en relation par le son appartiennent parfois au même champ lexical. Par exemple, les mots « voile », « navire » et « vaisseau » contiennent tous les trois le phonème [v] et appartiennent au champ lexical de la « navigation ». Mais les mots qui, ordinairement, n'ont pas de rapport de sens peuvent souvent être rapprochés par les phonèmes qu'ils ont en commun.

  Exemple : Et la mer et l'amour ont l'amer pour partage,
  Et la mer est amère, et l'amour est amer,
  L'on s'abîme en l'amour aussi bien qu'en la mer,
  Car la mer et l'amour ne sont point sans orage.
  (Pierre de Marbeuf)

  Le poète compare et oppose l'« amour » à la « mer », deux mots qui comportent plusieurs phonèmes communs.
- Étudier, s'il y a lieu, la valeur suggestive de certains phonèmes.

  Exemple : Je m'étais endormi la nuit près de la grève
  Un vent frais m'éveilla, je sortis de mon rêve,
  J'ouvris les yeux, je vis l'étoile du matin.
  (Victor Hugo)

  Dans ces trois vers, l'allitération en [v] et [f] évoque le souffle du vent qui réveille le poète.

  EFFET / SENS
  On ne peut vraiment accorder à des sons le pouvoir d'évoquer, de façon rigidement déterminée, des images, des sentiments, tristes ou gais. Ce n'est pas tel son considéré en lui-même qui détient un pouvoir de suggestion : c'est le sens du mot où il figure qui le lui confère. Cependant, on peut voir qu'en général les voyelles ouvertes semblent évoquer des images gaies ou agréables ; les voyelles fermées, des sentiments plutôt mélancoliques ou sombres.

  Pour compléter l'analyse d'un poème, on pourra se référer à l'étude des figures de style et des tonalités (voir la partie précédente – Les procédés d'écriture)

Glossaire des genres et des formes littéraires

Le genre poétique

Les formes antiques

Épopée long poème à la gloire d'un héros ou d'une nation, mêlant souvent le surnaturel et le merveilleux au récit des exploits et des hauts faits.

Hymne poème de tonalité élevée et grave, à la gloire d'un dieu ou d'un héros ; chant qui fait l'éloge d'une personne, d'une idée ou qui célèbre aussi bien la nature et les sentiments que la patrie.

Ode composée d'un nombre assez important de strophes comportant le même nombre de vers (le plus souvent des octosyllabes), elle s'adresse à de hauts personnages, à des objets que glorifie le poète ou à des notions abstraites personnifiées. L'odelette est une petite ode d'une strophe, qui peut être un douzain ou un dizain.

Élégie poème lyrique fondé sur le thème du malheur, presque toujours amoureux — amours contrariées ou interrompues par l'infidélité ou la mort.

Épître poème plutôt long, fait de rimes plates, et qui s'adresse, sur des sujets variés, à un personnage réel ou fictif.

Fable pièce en vers, dont les personnages sont souvent des animaux et qui a une visée satirique et une portée morale soulignée, au début ou à la fin, par une maxime générale.

Les petits genres

Épigramme courte pièce de vers, en une seule strophe, que l'on écrit habituellement dans un contexte de polémique et dont le but est de créer un effet de surprise par un trait satirique dévoilé dans le dernier vers. L'idéal est qu'elle soit composée de deux vers seulement. Sa brièveté sert le trait d'esprit qui l'accompagne.

Madrigal petite pièce de vers au tour galant ou tendre. Le madrigal est fondé sur un trait d'esprit, ce qui, en plus de sa brièveté, le rend proche de l'épigramme.

Épitaphe court poème à l'honneur d'un défunt et censé être inscrit sur le tombeau. Le ton peut être grave et sincèrement ému, mais il peut aussi être plaisant. Par le trait d'esprit final joint à la brièveté, l'épitaphe s'apparente aussi à l'épigramme.

Églogue petit poème à thème pastoral et à tonalité lyrique, orné souvent de dialogues entre bergers idéalisés.

Les formes fixes

Rondeau poème à forme fixe qui signifie « danse en rond » et qui se prête à l'expression du sentiment amoureux. Il est composé de quinze vers (octosyllabes ou décasyllabes), divisés en trois strophes (un quintil, un tercet, un quintil), les deux dernières strophes étant suivies d'un refrain formé de la première moitié du premier quintil.

Ballade poème à forme fixe, badin ou satirique, composé de trois strophes de vers égaux (hexamètres ou octosyllabes) et d'un couplet plus court de moitié (une demi-strophe), appelé envoi, qui s'adresse à un dédicataire réel ou fictif commençant par les mots « Dieu », « Prince », « Princesse », « Roi », « Père », et qui constitue une invocation. Le dernier vers de chacune des strophes est répété, formant ainsi un refrain. Le nombre de vers de chaque strophe est égal au nombre de syllabes des vers, et les rimes de la première strophe sont reprises dans les deux suivantes. L'envoi reprend le schéma des rimes de la deuxième moitié des strophes.

Sonnet composé de quatorze vers de mètres identiques (alexandrins, décasyllabes, octosyllabes), répartis en deux quatrains (abba, abba) et deux tercets (ou sizain) (ccd, eed ou ede). En général, les deux quatrains développent une même idée et les deux tercets forment un contraste ou un parallèle ; le dernier vers, qui clôt le poème, (le « vers de chute »), est particulièrement dense et indique le plus souvent le thème central poème. Le sonnet peut aborder tous les sujets et prendre tous les tons.

Pantoum fondé sur un système de reprises et d'alternances aussi bien thématiques que formelles, il est composé de quatrains construits de telle sorte que le deuxième et le quatrième vers de chaque strophe forment le premier et le troisième vers de la strophe suivante. Parfois, le premier vers du poème revient à la fin comme dernier vers. Il est écrit sur deux rimes et présente une suite de quatrains à rimes croisées ou à rimes embrassées en alternance. Il peut être de mètres variés, les alexandrins et les décasyllabes étant les plus fréquents, mais le même vers est conservé tout au long du poème. Son originalité est l'entrecroisement thématique : il développe dans chaque strophe, deux sujets différents. Le premier, descriptif, est extérieur et pittoresque ; le second, sentimental, est intime et moral.

Les formes libres

Vers libre énoncé poétique dont les mètres sont inégaux et dont les rimes ne sont plus systématiques, ce qui confère au poème une structure plus souple, dans laquelle la recherche rythmique revêt la plus grande importance. Il se reconnaît aux critères suivants : absence de ponctuation ; rythme qui établit un accord entre le vers et la syntaxe, d'où une pause forte en fin de vers et l'absence d'enjambement sur plus de deux vers, les répétitions et les reprises de groupes rythmiques devenant une façon d'accentuer ; disposition typographique qui souligne le contour rythmique du poème ; musique composée en majeure partie d'assonances et d'allitérations ; force des mots comme unité (mots grammaticaux et liaisons sont souvent soit supprimés, soit isolés ou dissociés du reste).

Verset vers libres pouvant être de différentes longueurs. Certains, inférieurs à l'alexandrin, sont très courts (trois ou quatre syllabes). D'autres, supérieurs à l'alexandrin, atteignent la dimension de petits paragraphes ; on les appelle alors « versets ».

Calligramme poème dont le sujet est dessiné par la manière dont sont agencés les lettres et les mots. Le poème est représenté selon une saisie visuelle instantanée qui échappe à la linéarité, rendant ainsi la lisibilité moins immédiate. Sa signification est donc double, à la fois littérale (les mots) et picturale (le dessin).

Poème en prose expression utilisée dès la fin du 18e siècle et qui se confond, à ce moment-là, avec la prose poétique telle que l'ont pratiquée Rousseau et Chateaubriand. Bien que la prose poétique emprunte au vers un certain nombre d'éléments, en particulier pour le rythme, elle respecte néanmoins la continuité logique de la prose, alors que le poème en prose les récuse de deux manières : soit par une structure forte qui isole et clôt le texte sur lui-même (le poème peut donc se lire d'une manière indépendante) ; soit par une anarchie qui libère le poème de toute obéissance à la logique. C'est donc un genre mixte qui emprunte à la fois à la prose (absence de règles métriques et de rimes) et à la poésie (sujet poétique par son contenu - amour, mort, fuite du temps, etc. ; brièveté et unité du texte ; répétition de mots ; allitérations et assonances ; images ; vers blancs).

Le genre narratif

Le récit véridique

Récit attesté, qui se dit ou se veut véridique, car il s'agit beaucoup plus d'une volonté de fidélité aux faits que d'une vérité purement objective, somme toute impossible à atteindre.

Autobiographie récit rétrospectif qu'une personne fait de sa propre existence en mettant l'accent sur sa vie individuelle (particulièrement l'histoire de sa personnalité). L'auteur, le narrateur et le personnage principal ne font qu'un.

Autoportrait[*] ne respecte pas la linéarité chronologique de la vie de l'auteur, contrairement à l'autobiographie ou aux mémoires.

Mémoires[*] le mémorialiste se comporte comme un témoin : ce qu'il a de personnel, c'est le point de vue individuel (alors que dans l'autobiographie, l'auteur met l'accent sur l'individu). L'objet du discours est l'histoire des groupes sociaux et historiques auxquels il appartient. Le genre des mémoires est lié au monde féodal ou aristocratique (alors que l'autobiographie renvoie plutôt à l'individualisme bourgeois).

Le récit de vie (biographie, témoignage, histoire vécue)[*] Raconte la vie d'hommes ou de femmes qui méritent d'être connus. Né d'enregistrements collectés par exemple par des sociologues ou des journalistes (donc supposément basé sur des sources sérieuses), il peut entre autre faire entendre la voix de paysans, d'artisans ou d'ouvriers, tout comme celle de politiciens ou d'artistes.

Journal intime[*] genre voisin de l'autobiographie, il ne suppose pas, chez le narrateur-auteur-personnage qui déroule sa vie au fil des jours, la conscience d'un public, ni même d'un lecteur potentiel.

Correspondance[*] **(ou récit épistolaire)** lettres échangées entre deux ou plusieurs correspondants. Ceux-ci sont tour à tour auteurs et destinataires réels de lettres par lesquelles se construit le récit, ce qui favorise particulièrement la multiplicité des points de vue narratifs et constitue, grâce à sa structure polyphonique, un procédé subtil de distanciation.

Le récit fictif

Le récit de fiction est un récit imaginaire, délibérément inventé, qui peut soit masquer les indices de cette invention, soit afficher clairement son appartenance à la fiction.

Récit réaliste tout y est construit pour créer l'illusion de la réalité : histoire, personnages, lieux et décors nous paraissent réels.

Récit merveilleux et récit fantastique ont en commun la rencontre du naturel et du surnaturel dans le récit. Le **merveilleux** place le lecteur dans un état rassurant (il sait que ce n'est pas vrai, mais s'en satisfait) et cet état d'harmonie avec l'univers produit un effet d'optimisme, alors que le **fantastique** introduit le lecteur dans l'étrangeté et

---

[*] Ces sous-genres peuvent aussi être fictifs.

provoque chez lui un sentiment d'angoisse. Le lecteur est saisi par un doute, une incertitude créée par l'ambiguïté du récit et hésite entre une solution rationnelle et une solution irrationnelle. Le récit a donc besoin de surnaturel, mais plus encore d'ambiguïté, si bien qu'il commence souvent par une description du monde réel où, imperceptiblement, s'opère un passage vers l'inquiétant, l'étrange ou le maléfique. Il existe trois types de fantastique : le **fantastique pur** (le dénouement ne lève pas l'ambiguïté), le **fantastique étrange** (l'ambiguïté est levée de par une explication rationnelle) et le **fantastique merveilleux** (l'ambiguïté est levée par une solution irrationnelle).

Récit de science-fiction s'interroge sur l'avenir de l'humanité par le biais du pouvoir donné à l'homme par la science. Sa vision est tantôt optimisme, tantôt pessimiste. Ce type de récit se sert des hypothèses scientifiques réelles pour expliquer des phénomènes étranges par extrapolation, ou pour tracer un portrait du futur ou de l'inconnu. La science-fiction fait donc appel à tout l'arsenal de la culture scientifique moderne : technologie, chimie, physique, biologie, génétique, etc. Elle fait aussi appel à l'écologie, à l'anthropologie, à la sociologie, à la politique, etc.

Le roman   Capable d'intégrer d'autres genres (tragédie, poésie, etc.), différents tons (lyrisme, etc.), ainsi que divers domaines de l'activité humaine, (histoire, philosophie, etc.), le roman est une œuvre en prose, d'assez bonne longueur, racontant une histoire fictive. Il est possible d'en distinguer plusieurs formes qui, diversement, désignent le contenu, l'origine, la forme ou la structure de l'œuvre romanesque.

Roman intimiste (ou roman personnel) récit personnel et intime d'un narrateur-personnage qui privilégie surtout l'expression de ce qu'il ressent, l'épanchement de ses sentiments.

Roman psychologique (ou roman d'analyse) récit psychologique privilégiant l'observation, le questionnement et l'analyse dans le but de comprendre le cœur et la nature humaine, il contient peu d'action et beaucoup de réflexion et se présente souvent comme une autobiographie directe ou dissimulée.

Roman d'initiation (ou roman d'apprentissage) montre l'évolution d'un personnage au contact avec le monde extérieur. Il suit donc le héros pendant un certain temps, voire plusieurs années.

Roman picaresque raconte les errances de déclassés, de marginaux, et propose une vision particulière de la société.

Roman d'aventures récit principalement centré sur l'action où les personnages évoluent dans de nouveaux espaces, au sein de peuples différents et à d'autres époques.

Roman historique marque son intérêt envers l'histoire par la peinture d'époques révolues. La période historique évoquée est généralement située à une époque antérieure à celle de l'auteur et fournit un cadre exotique qui permet une mise en perspective du présent. Caractérisé surtout par le détail pittoresque, il peut aussi bien vouloir créer une atmosphère quasi mythologique qu'être animé d'un souci didactique qui lui fait opposer à la vérité des événements les vérités morales que donne à lire le livre à travers le destin des grandes figures de l'histoire.

Roman de mœurs (ou roman social) s'ouvre aux influences humanitaires et sociales, et cherche à rendre compte des données de la réalité sociohistorique d'une époque ou d'un milieu souvent pour le critiquer.

Roman-feuilleton roman interminable où l'histoire, présentée en épisodes dans un journal, sert de cadre pittoresque, voire exotique, à des aventures mystérieuses et exaltantes. Il connaît une audience maximale en 1835, alors qu'il paraît en feuilletons dans des journaux à bon marché. Les deux maîtres du genre furent Alexandre Dumas père, avec ses sagas historiques hautes en couleur (*Les trois mousquetaires*, 1844) et Eugène Sue, chez qui les romans d'aventure se doublent d'une dimension sociale (*Les mystères de Paris,* 1842-1843).

Roman policier centré sur la résolution d'une énigme criminelle, il manipule et distribue les indices, les fausses pistes, les analyses psychologiques et le lecteur se sent habituellement impliqué dans la recherche. Favorisé par l'essor des journaux, de la presse à sensation et des nombreux feuilletons qui exploitent dramatiquement les « faits divers » insolites, il y puisa sa matière et élabora sa méthode grâce au développement de la science expérimentale (le positivisme). Le récit a pour base un crime affreux inexplicable ; un détective, qui malgré certaines excentricités, est l'image de la raison ; et une enquête, qui montre la progression du raisonnement conduisant à la résolution du crime. Il procède progressivement et logiquement au dévoilement du coupable. Le principal intérêt du récit réside alors dans la façon dont s'y prend l'inspecteur pour le confondre.

La nouvelle

Récit bref, parfois publié isolément dans des revues, ou encore édité avec d'autres nouvelles sous la forme d'un recueil, la nouvelle doit saisir l'histoire à un moment significatif de son développement. Son intensité dramatique et sa force de concision permet favorablement le développement d'un récit fantastique. Anecdote, souvenir, fait divers ou encore moment de vie, dans un cadre réaliste ou fantastique, la nouvelle n'a toujours qu'un seul sujet fortement concentré : rythme rapide, peu ou pas de digressions, personnages décrits très sommairement à l'aide de quelques traits distinctifs, lieux et objets rapidement caractérisés par quelques détails, les plus significatifs. Les personnages sont peu nombreux, et le narrateur y est fréquemment représenté.

Le conte Textes brefs très divers, mais qui font tous entrer le lecteur dans un univers surprenant et déroutant parce que différent du monde réel.

Conte merveilleux histoire qui se déroule à une époque et dans des lieux indéterminés. Les personnages y assument une fonction précise, et la fin du récit est heureuse. C'est le traditionnel conte de fées.

Conte fantastique texte qui explore des domaines irréels, crée un univers angoissant et tient sa force de l'état de doute dans lequel il place le lecteur.

Conte philosophique l'auteur utilise les composantes narratives (intrigue, personnages, etc.) du conte pour exposer brièvement une problématique philosophique, morale, etc.

Le genre dramatique

La tragédie

La tragédie est un genre théâtral antique qui a été défini et décrit par Aristote. Il s'agit de « l'imitation (*mimêsis*) d'une action de caractère élevé et complète ». Cette imitation « est faite par des personnages en action, et non au moyen d'un récit ». Les tragédies les plus représentatives ont été écrites au 17ᵉ siècle. Elles sont en vers et comportent cinq actes et mettent en scène des personnages illustres (héros historiques ou légendaires : rois, princes, etc.) aux prises avec des événements funestes. L'intention du dramaturge est d'inspirer la terreur ou la pitié pour purifier le spectateur de ses passions : c'est la **catharsis**. La tragédie est un conflit de droits entre deux forces opposées. Chacune des deux parties en présence ne peut atteindre son but sans s'opposer inéluctablement aux visées de l'autre. Le personnage tragique est donc victime de la **fatalité**. Les forces qui s'affrontent sont tout à la fois légitimes et coupables et la seule issue possible au conflit tragique est la destruction des forces en présence, par la mort des héros ou de leurs proches.

Tragédie classique le genre évolue, dans la seconde moitié du 17ᵉ siècle, de la diversité baroque à la codification classique. Au nom de la raison, les écrivains rejettent les outrances baroques et restaurent les fameuses règles héritées du philosophe grec Aristote : unité de temps, de lieu, d'action et de ton, vraisemblance et bienséances (telles que Boileau les définit dans son *Art poétique*, 1674).

Tragique moderne le « théâtre de l'absurde » des années cinquante pourrait lui aussi être considéré comme une forme particulière de tragédie, mais il s'agirait alors d'un tragique différent, autant par la philosophie que par le style n'est pas toujours empreint de noblesse ni de « bienséance » ! Le tragique moderne sort de plus en plus des cadres du théâtre.

La comédie

Le mot « comédie » a d'abord désigné le théâtre dans sa généralité. Puis, l'apparition de la tragédie a mené à définir le rôle et les limites de la comédie. Celle-ci met en scène des personnages de la vie ordinaire, utilise un ton familier et enjoué, et produit une morale pratique et simple. Elle a pour but de divertir en provoquant le rire du spectateur, mais peut aussi avoir une portée critique très puissante.

Sotie comédie au Moyen Âge rattachée à la fête des Fous pendant laquelle les écoliers se vengeaient de leurs maîtres en les ridiculisant, la comédie mettait en scène des personnages représentant des fous, dont les propos véhiculaient en fait des vérités dures à entendre.

Farce comédie au Moyen Âge où le rire s'exerce contre l'ordre social et en particulier contre le roi, l'évêque, le seigneur, le moine. Les personnages, dénués de caractérisation psychologique, incarnent des types : le Mari, la Femme, le Galant, etc. Les jeux de scène, fondés sur des actions stéréotypées, provoquent le rire.

Commedia dell'arte genre comique de la Renaissance italienne. Les comédiens, qui incarnent des personnages stéréotypés par leurs costumes, leurs noms (Arlequin, Pierrot, Colombine, Paillasse, Scaramouche, Polichinel, etc.), leurs caractères et leur jeu (le vieillard riche et avare, le soldat fanfaron, la soubrette, etc.), improvisent des bouffonneries et des jeux de mots sur des situations de la vie courante, à partir d'un canevas qui fixe grossièrement les éléments de l'intrigue. Le jeu prend très largement le pas sur le texte, presque inexistant. La comédie italienne a exercé une influence décisive sur la comédie classique française.

Comédie de boulevard (ou théâtre de boulevard) théâtre français du 19e siècle qui réserve une bonne place à la comédie (à part le drame romantique, qui mêle le rire et les larmes). Le « théâtre de boulevard », ainsi nommé parce que les théâtres étaient situés non pas au centre de Paris, comme la Comédie-Française, mais sur les grands boulevards, est un théâtre de divertissement, qui réutilise certains procédés moliéresques pour se moquer de la bourgeoisie contemporaine. On y voit souvent des personnages équivalant aux sots de Molière, bourgeois imbus d'eux-mêmes et obsédés par une idée fixe.

Vaudeville comédie légère et divertissante prenant forme au milieu du 19e siècle, fertile en rebondissements et quiproquos, tournant autour de l'adultère et ridiculisant les bourgeois du Second Empire.

Comédie du désespoir reprise de la tradition moliéresque avec Jules Romains et de la farce avec Jarry, la comédie au 20e siècle s'oriente vers une vision tragique avec le théâtre de l'absurde ou de la dérision (Adamov, Ionesco, Beckett). Le comique ne se sépare plus d'une vision tragique ; dénonçant l'absurdité de l'existence humaine, le rire devient grinçant, voire sinistre. Ce n'est plus de comique dont il s'agit, mais plutôt de grotesque tragique (comique monstrueux).

Le drame

Le théâtre religieux L'origine du théâtre en France est religieuse et remonte au Moyen Âge. Le spectacle fait d'abord partie des cérémonies et se déroule dans l'église. Puis les représentations ont lieu devant l'église, sur le parvis. Il prend les quatre formes suivantes.

Drame liturgique met en scène les grandes fêtes chrétiennes : Pâques (10e siècle), Noël (11e siècle). Puis, d'autres scènes sont aussi jouées : la résurrection de Lazare, la conversion de saint Paul (12e siècle). La langue utilisée reste le latin.

Drame religieux la langue employée est le roman. La représentation a lieu à l'extérieur de l'église (*Jeu d'Adam*, fin du 12e siècle).

Miracles genre dramatique le plus fréquent au 14e siècle qui présente, sur un ton naïf, une situation humaine et familière, où surgit le merveilleux (par exemple : l'intervention de la Vierge dans une situation désespérée). Les auteurs sont des gens cultivés, des dévots, qui puisent dans la littérature narrative religieuse et profane. Malgré un goût pour le spectacle (décor assez riche, action, comique des scènes réalistes), les représentations sont néanmoins modestes.

Mystères pièce de théâtre au Moyen Âge mettant en scène des épisodes de l'Ancien et du Nouveau Testament, souvent joués sur le parvis des églises ou des cathédrales. Ils apparaissent au 15ᵉ siècle et le drame de la Passion en constitue le principal sujet. Les spectacles sont gigantesques : plusieurs centaines d'acteurs, véritable fête, décors simultanés complexes, spectacle s'étendant sur plusieurs journées, parfois mêmes sur des semaines ou des mois. Les mystères seront interdits en 1548 par le Parlement de Paris qui les disait source de désordres.

Drame bourgeois jusqu'au milieu du 18ᵉ siècle, le théâtre a été dominé par le classicisme et par ses valeurs aristocratiques : honneur, gloire, absolutisme moral. Comme celles-ci périclitent avec la montée en puissance de la bourgeoisie et que celle-ci aspire à un théâtre plus proche de son univers social et moral, on voit apparaître le drame bourgeois, sérieux et pathétique, et dont les principaux théoriciens sont Diderot et Beaumarchais. Le drame se présente alors comme une tragédie de mœurs privées où « ce ne sont plus les caractères qu'il faut mettre en scène, mais les conditions ». Il vise à frapper le spectateur par la vérité des situations, à le toucher, l'émouvoir, l'attrister en montrant l'homme et la société avec ses conflits, ses malheurs et ses désordres. L'action du drame se situe toujours dans des familles bourgeoises ou populaires contemporaines et le ton conjugue tout autant le réalisme que la sentimentalité débordante. Le drame utilise le langage de la vie, montre le mouvement et l'action, abandonne l'unité de lieu pour se construire en tableaux scéniques mettant en scène les membres d'une famille bourgeoise au sein de laquelle la vertu finira par triompher.

Mélodrame drame contenant des parties chantées et qui, sous la Révolution, succéda au drame bourgeois.

Drame romantique (ou drame historique) né d'une volonté de libérer le genre théâtral en s'opposant aux contraintes du théâtre classique, le drame romantique s'épanouit dans la première moitié du 19ᵉ siècle. Les conditions socioculturelles (sensibilité nouvelle, nostalgie des élans héroïques, besoin de réflexion sur l'engagement, le pouvoir, le destin) commandent au théâtre, pour intéresser le public bourgeois de l'époque, d'être l'image de la vie et de divertir tout en faisant réfléchir. Son esthétique (définie par Victor Hugo dans la préface de sa pièce *Cromwell*) repose sur trois principes essentiels : l'utilisation de l'histoire, le mélange des genres et des tons, et la nécessaire libération de la versification. Le drame se fait donc l'écho de préoccupations historiques tout en reflétant des situations, des comportements et des aspirations humaines.

BIBLIOGRAPHIE

ANALYSE LITTÉRAIRE

ADAM, J.-M. et F. REVAZ. *L'analyse des récits*, Paris, Seuil, « Mémo-lettres », 1996.

ANGLARD, V. *50 Modèles de commentaires composés. De l'analyse au plan et du plan à la rédaction*, Alleur (Belgique), Marabout, coll. « Marabout Savoirs », n° 12, 1992.

AQUIEN, M. *La versification*, Paris, PUF, coll. « Que sais-je ? », 1990.

AQUIEN, M. *La versification appliquée aux textes*, Paris, Nathan, coll. « 128 », 1993.

AQUIEN, M. *Dictionnaire de poétique*, Paris, Librairie Générale française, coll. « Les usuels de poche », 1993.

BERGIEZ, D. *L'exploration du texte littéraire*, Paris, Bordas, coll. « Lettres supérieures », 1989.

BERGIEZ, D. *Introduction aux méthodes critiques pour l'analyse littéraire*, Paris, Bordas, 1990.

BONY, J. *Lire le romantisme*, Paris, Dunod, coll. « Lettres supérieures », 1992.

CARRIER-NAYROLLES, F. *Le commentaire composé*, Paris, Hachette Éducation, coll. « Faire le point », 1993.

CRÉPIN, F., LORINDON M. et E. POUZALGUES-DAMON. *Français. Méthodes et techniques*, Paris, Nathan, 1992.

DÉSALMAND, P. et P. TORT. *Du plan à la dissertation*, Paris, Hatier, Coll. « Profil formation - Français », n°s 313-314, 1977.

DÉSALMAND, P. et P. TORT. *Vers le commentaire composé*, Paris, Hatier, coll. « Profil Formation - Français », n°s 417-418, 1986.

DESSONG, G. *Introduction à l'analyse du poème*, Paris, Bordas, 1991.

DUPRIEZ, B. *Gradus. Les procédés littéraires*, Paris, U.E.G., coll. « 10/18 », 1984.

ETERSTEIN, C. et A. LESOT. *Pratique du français. Analyse des textes - techniques d'expression*, Paris, Hatier, 1986.

FONTANIER, P. *Les figures du discours*, Paris, Flammarion-Champs, 1968.

GRAMMONT, M. *Le vers français*, 6e édition, Paris, Delgrave, 1967.

GROJNOWSKI, D. *Lire la nouvelle*, Paris, Dunod, coll. « Lettres supérieures », 1993.

LEJEUNE, P. *L'autobiographie en France*, Paris, Librairie Armand Colin, 1971.

LELIÈVRE, A. et autres. *Français. Commentaire composé. ABC du bac*, Paris, Nathan, 1993.

LESOT, A. *La lecture méthodique (1). Initiation*, Paris, Hatier, coll. « Les méthodiques », 1992.

LEUWERS, D. *Poètes français des XIXe et XXe siècles*, Paris, Librairie Générale française, Le Livre de poche « Nouvelle approche », n° LP5, 1987.

PAQUIN, M. et RENY, R. *La lecture du roman ; une initiation*, Belœil, La Lignée, 1984.

PARDON, P. et M. BARLOW. *Le commentaire de texte au baccalauréat*, Paris, Hatier, coll. « Profil formation - Français », n°s 324-325, 1978.

RICARDOU, J. *Le nouveau roman*, Éditions du Seuil, 1973.

SABBAH, H. *Le commentaire composé*, Paris, Hatier, coll. « Les méthodiques », 1993.

SABBAH, H. *La lecture méthodique (2). Perfectionnement*, Paris, Hatier, coll. « Les méthodiques », 1992.

TODOROV, T. *Introduction à la littérature fantastique*, Paris, Éditions du Seuil, 1970.

VAN ROSSUM-GUYON, F. *Nouveau roman : hier, aujourd'hui*, Paris, U.G.E., 1972.